COLLECTION
FOLIO CLASSIQUE

Madame de Lafayette

La Princesse de Clèves

Édition présentée,
établie et annotée
par Bernard Pingaud

Gallimard

PRÉFACE

Un raisonnement contre l'amour

La personnalité de Mme de Lafayette est à l'image de son œuvre : limpide en apparence, mystérieuse dès que l'on essaie d'en toucher le fond. Ses amis l'appelaient « le brouillard ». Voulaient-ils dire par là qu'elle n'aimait guère se livrer ? ou qu'elle était mélancolique ? Sans doute passait-elle pour distante puisque, dans une lettre à Ménage, elle éprouve le besoin d'expliquer qu'on n'est pas forcément tendre « parce que l'on saute au cou de tout le monde ». Il semble aussi qu'elle ait traîné toute sa vie un certain air de tristesse que sa mauvaise santé ne suffit pas à expliquer. Il y a en elle quelque chose d'excessivement raisonnable qui fera dire à Mme de Sévigné, sa meilleure amie : « Mme de Lafayette a eu raison pendant sa vie, elle a eu raison après sa mort, et jamais elle n'a été sans cette divine raison qui était sa qualité principale. » Elle-même, dans son Histoire d'Henriette d'Angleterre, *s'étonne de l'affection dont elle a été l'objet : « Bien qu'on lui trouvât du mérite, c'était une sorte de mérite si sérieux en appa-*

*rence qu'il ne semblait pas qu'elle dût plaire à une
princesse aussi jeune que Madame. »*

Le monde et les intrigues

Cette « *divine raison* », ce « *mérite si sérieux* » s'ac-commodent fort bien des succès mondains. Rien dans
ses origines ne la destinait à devenir l'une des premiè-res femmes de la société parisienne. Son père, officier
spécialisé dans l'art des fortifications, sa mère, suivante
de la duchesse d'Aiguillon, sont de petite noblesse, et il
est probable que Marie-Madeleine Pioche de La Vergne
aurait passé son existence entière dans ce milieu d'hon-nêtes gens cultivés mais sans gloire, où l'on rencontre
plus de jurisconsultes et de mathématiciens que de cour-tisans, si sa mère, femme de tête, habile et prudente,
n'avait su lui ménager de hautes protections. Grâce à sa
marraine, la duchesse d'Aiguillon, elle devient en 1651
demoiselle d'honneur de la Reine. Trois ans plus tard,
en 1654, la marquise de Senecey l'introduit au couvent
de Chaillot et la présente à Louise Angélique de
Lafayette. Louise Angélique a un frère qui est veuf et
mène dans son château d'Auvergne une existence reti-rée. À défaut de passion, il apporte à Mlle de La Vergne
une fortune, ébranlée par de nombreux procès, et sur-tout un nom. Le mariage est célébré en février 1655.
Dans ce même couvent de Chaillot, la future Mme de
Lafayette a eu la chance ou l'habileté de se lier avec
la jeune princesse Henriette d'Angleterre. Le mariage
d'Henriette avec Monsieur, duc d'Orléans, en 1661, lui

ouvre les portes de la Cour. Familière de Madame, elle sera désormais de toutes les intrigues, de toutes les fêtes, et le tendre sentiment que Louis XIV nourrit pour sa belle-sœur lui vaudra de conserver, même après la mort tragique d'Henriette, la faveur royale. Une lettre de Mme de Sévigné raconte qu'étant venue à Versailles, malgré sa mauvaise santé, « le Roi la fit mettre dans sa calèche avec les dames et prit plaisir de lui montrer toutes les beautés de Versailles comme un particulier que l'on va voir dans sa maison de campagne. Il ne parla qu'à elle et reçut avec beaucoup de plaisir et de politesse toutes les louanges qu'elle donna aux merveilleuses beautés qu'il lui montrait ». L'importance de sa situation mondaine au cours des vingt dernières années de sa vie est attestée par les Mémoires de l'époque. Familière de l'hôtel de Nevers, tenant elle-même un salon très recherché, il n'est guère de grand personnage ou d'écrivain notoire qu'elle n'ait fréquenté. Elle est aussi à l'aise pour s'entretenir des grands intérêts de l'État que pour disputer des œuvres de Racine ou de La Fontaine. Boileau dit d'elle : « C'est la femme du monde qui a le plus d'esprit et qui écrit le mieux », et lorsqu'elle meurt, en 1693, le Mercure galant *commente ainsi sa disparition : « Elle était veuve de M. le comte de Lafayette et tellement distinguée par son esprit et par son mérite qu'elle s'était acquis l'estime et la considération de tout ce qu'il y avait de plus grand en France. Lorsque sa santé ne lui a plus permis d'aller à la Cour, on peut dire que toute la Cour a été chez elle. De sorte que sans sortir de sa chambre, elle avait partout un grand crédit dont elle ne faisait usage que pour rendre service à tout le monde. »*

Mais suffit-il pour réussir d'avoir de la chance et d'être bien protégé ? Derrière la « divine raison » de Mme de Lafayette on aperçoit un sens pratique remarquable. Peut-être faudrait-il parler de calcul si ce mot n'avait une allure péjorative. Spécialiste des tourments du cœur et des égarements de la passion, Mme de Lafayette est aussi une tête froide et peu d'existences ont été mieux conduites que la sienne. De sa mère, à qui le cardinal de Retz reconnaissait le génie de l'intrigue, elle tient un sens aigu des affaires, au double sens de ce mot : affaires d'argent, affaires de l'État. Dès son plus jeune âge — à l'époque où son beau-père, le chevalier Renaud de Sévigné, militait parmi les Frondeurs — elle a suivi de près les mouvements de la politique. Le goût lui en restera toujours, comme le montre le rôle que joue l'histoire dans son œuvre. Chacun de ses récits commence par un tableau des intrigues de la Cour, ce sont des « Mémoires » plutôt que des romans, écrit-elle elle-même, et les affaires de l'État y apparaissent étroitement liées à celles du cœur. L'Histoire d'Henriette d'Angleterre, *qui est véridique, prouve même que certaines affaires d'État ne sont que des affaires de cœur. Lorsque sur la fin de sa vie, après la mort de La Rochefoucauld, Mme de Lafayette, seule et malade, essaie de se distraire en écrivant, ce n'est pas une nouvelle* Princesse de Clèves *qu'elle entreprend : c'est une histoire de son temps. Les* Mémoires de la cour de France pour les années 1688 et 1689, *écrits presque au jour le jour, sans recul sur l'événement, étonnent par la vigueur du trait, la clarté des analyses et du jugement. L'histoire n'est guère une spécialité féminine :*

que Mme de Lafayette soit le seul écrivain de son sexe
à avoir dépeint et analysé minutieusement des batailles,
c'est une originalité qui mérite attention. Sa vie ressem-
ble d'ailleurs à une campagne militaire : c'est une suite
de conquêtes *et si l'on y trouve quelques faux pas,*
comme ses relations avec Fouquet, que de citadelles en-
levées, je ne dirai pas avec le sourire — car sa diploma-
tie utilisait plus les armes du sérieux, de la modestie et
de la serviabilité que celles de l'enjouement ou du
charme — mais enlevées avec éclat, sans coup férir,
comme l'amitié d'Henriette d'Angleterre, ou lentement,
à force d'astuce et d'amabilité, comme celle de La Ro-
chefoucauld. Plus que plaire, peut-être, elle aime domi-
ner. Gourville, qui ne la prisait guère, prétend qu'« elle
passait ordinairement deux heures de la matinée à en-
tretenir commerce avec tous ceux qui lui pouvaient être
bons à quelque chose et à faire ses reproches à ceux
qui ne la voyaient pas aussi souvent qu'elle désirait,
pour les tenir sous sa main et voir à quel usage elle les
pouvait mettre chaque jour ». Le jugement est méchant
et sans doute injuste, d'après ce que nous savons de
Gourville lui-même. Mais il est sûr que Mme de
Lafayette avait le goût de l'intrigue. Ce n'est pas par
hasard qu'elle se trouve mêlée à l'affaire Fouquet ni
qu'elle joue un rôle — beaucoup plus important qu'elle
ne le dit — dans les amours d'Henriette et du comte de
Guiche. Elle aime cette agitation, ces manœuvres dont
ses récits sont pleins. Mme de Sévigné raconte, dans une
lettre, qu'elle a trouvé chez Mme de Lafayette plusieurs
Messieurs importants et qu'on y a « fort politiqué ».
L'entregent de son amie fait son admiration : « Jamais

femme sans sortir de sa chambre n'a fait de si bonnes affaires. »

Elle est aussi très douée pour la chicane. Tandis que M. de Lafayette, dans son château d'Espinasse, mène une existence de gentleman-farmer, elle s'occupe à Paris, avec l'aide de Ménage qui lui sert à la fois de professeur de lettres et d'homme de paille, des nombreux procès que lui font ses cousins et ses créanciers. « Je dispute tous les jours, contre les gens d'affaires, de choses dont je n'ai nulle connaissance et où mon intérêt seul me donne de la lumière. » Il faut croire qu'elle y prend goût puisque plus tard, de la même manière, elle débrouillera les affaires de M. de La Rochefoucauld et le tirera d'une situation juridique délicate. Sa correspondance, sèche et directe, n'est pas d'une rêveuse. À Ménage, qui a prêté sans garantie quatre cents pistoles à un gentilhomme suédois, elle fait de vifs reproches : « Est-ce que vous ne comprenez point ce que c'est que quatre cents pistoles pour les jeter ainsi à la tête d'un Ostrogoth que vous ne reverrez jamais ? »

Faut-il en conclure, comme certains l'ont affirmé, qu'elle était intéressée ? Sur la foi d'une correspondance découverte en 1880 dans les archives de la maison de Savoie, un érudit italien, M. Perrero, a cru pouvoir faire le portrait d'une Mme de Lafayette « intrigante, rouée, tenace, avisée », qui aurait joué, auprès de la cour de France, le rôle d'agent secret de la duchesse régente de Savoie. La vérité est certainement plus simple. Mme de Lafayette avait connu la duchesse de Savoie, comme Henriette d'Angleterre, avant son mariage, au couvent de Chaillot. Elle est restée son amie

*et s'efforce au moment où les amours tumultueuses de
la duchesse défraient la chronique et où son fils cons-
pire contre elle, de la servir auprès de Louvois. Elle
donne des conseils qui ne sont pas toujours suivis, écrit
des lettres, fait des démarches, reçoit des envoyés, joue
au diplomate ; elle sert aussi de commissionnaire à la
duchesse pour l'achat de robes et de colifichets, en
échange de quoi elle reçoit quelques bibelots, quelques
tableaux et des étoffes qui la remboursent de ses frais.
Mais ce n'est pas l'intérêt qui la mène, c'est le besoin
d'agir. Il y a un goût de la puissance qui n'est que le
goût de l'efficacité : elle veut que ses relations servent,
que toute affaire qui peut être gagnée le soit, que l'on
n'achète pas les yeux fermés. S'agissant de ceux qu'elle
aime, elle est infatigable. Il faut voir avec quel zèle dans
les dernières années de sa vie, elle « pousse », auprès
de Louvois — une autre de ses conquêtes — son fils
Armand, l'officier. Elle demande pour lui une compagnie au régiment du Roi, puis un emploi auprès du Dauphin, puis un régiment, puis un congé. Elle va même
jusqu'à recruter des hommes à son service. Pour l'aîné,
Louis, épicurien indolent qui a embrassé la carrière
ecclésiastique, elle sollicite et obtient abbayes et prieu-
rés qui lui assurent des revenus confortables. Sa protection s'étend aux amis et aux amis des amis, et quelles
que soient ses fatigues, elle n'hésite jamais à intervenir
pour tous ceux qui ont besoin de son aide, ses intimes,
La Rochefoucauld, Segrais — ceux qui ne l'aiment guère, comme Mme de Grignan — ou ceux qui ne le méri-
tent pas, comme Corbinelli. On a représenté longtemps Mme de Lafayette sous les traits d'une « femme*

savante », accablée par ses vapeurs et discourant sur un lit galonné d'or des mérites de Pétrarque et d'Horace. Il faut renoncer à cette légende. On peut être une romancière délicate et avoir le sens des réalités. Entre les intrigues du cœur et celles de la Cour, la différence, après tout, n'est pas si considérable. Il y a en elle un homme d'État manqué. Nul doute qu'aujourd'hui elle ne serait ministre.

L'auteur invisible

Les mérites de l'écrivain apparaissent minces, effacés, presque honteux à côté de ceux de la femme du monde. Tout se passe, en effet, comme si elle avait eu honte, non pas peut-être d'écrire mais de publier. Aucune de ses œuvres n'a paru sous son nom, et l'on peut juger par le passage suivant, extrait d'une lettre à Ménage, de la crainte qu'elle avait de voir son anonymat dévoilé : « Cet honnête Ferrarais qui était à moi m'a dérobé une copie de La Princesse de Montpensier *et l'a donnée à vingt personnes. Elle court le monde ; mais par bonheur, ce n'est pas sous mon nom. Je vous conjure, si vous en entendez parler, de faire bien comme si vous ne l'aviez jamais vue, et de nier qu'elle vienne de moi si par hasard on le disait. » Huet ayant vendu la mèche en envoyant le livre à une amie, elle proteste : « On croira que je suis un vrai auteur de profession de donner, comme cela, de mes livres. » Il n'est pas d'usage qu'une dame de sa qualité se fasse « auteur ». Cela explique suffisamment ses craintes et son souci de*

rester cachée. *Mais il y a peut-être une autre raison :
l'œuvre de Mme de Lafayette est brève et l'on a souvent
l'impression en la lisant de se trouver en présence d'esquisses, d'essais, plutôt que de livres achevés. Accaparée par ses nombreuses activités mondaines, plus intéressée par la vie que par les livres, quoi qu'elle en dise,
Mme de Lafayette n'a jamais accordé qu'une place secondaire à la littérature, ou du moins à celle qu'elle
écrivait. C'est un romancier du dimanche, qui d'ailleurs
doute de soi, se fait aider par ses amis, et prend si peu
au sérieux son travail qu'il lui arrive de ne même pas
le montrer. Dans une lettre à Ménage, écrite en 1664,
on lit : « Je ne vous envoie point cette petite histoire
qui ne vaut pas la peine que vous la récriviez. » Il est
vraisemblable que Mme de Lafayette a écrit ou commencé d'écrire beaucoup de « petites histoires ». Mais
elle les a rarement poussées jusqu'à leur terme. L'*Histoire d'Henriette, les* Mémoires *sont inachevés. La* Princesse de Montpensier *et, plus encore,* La Comtesse de
Tende, *sont des canevas que l'auteur n'a pas pris la
peine de développer. Les seules œuvres qui donnent
l'impression d'avoir été vraiment mûries sont* Zaïde *et*
La Princesse de Clèves. *De la première, un roman à la
mode espagnole, on sait qu'elle fut écrite en collaboration avec Segrais et La Rochefoucauld, et il est malaisé
de dire quelle fut la part exacte de Mme de Lafayette.
On comprend en tout cas qu'elle n'ait pas cru devoir
la signer. L'histoire de* La Princesse de Clèves *est plus
mystérieuse. Il n'est pas douteux que la romancière, aidée sans doute par La Rochefoucauld puisque l'œuvre
fut écrite à une époque où ils se voyaient tous les jours,*

y a apporté beaucoup de temps et de soin. Il paraît certain, également, que ses amis en étaient informés. Mme Georges de Scudéry écrit, dans une lettre en date du 8 décembre 1677 : « M. de La Rochefoucauld et Mme de Lafayette ont fait un roman des galanteries de la cour de Henri II qu'on dit être admirablement écrit. » Pourtant, Mme de Lafayette niera toujours avec acharnement en être l'auteur. Si l'on en croit une lettre qu'elle adressa, après la publication du livre, à Lescheraine, le secrétaire de la duchesse de Savoie, il faudrait même renoncer à lui attribuer ce roman : « Un petit livre qui a couru, il y a quinze ans et où il plut au public de me donner part[1], a fait qu'on m'en donne encore à La Princesse de Clèves. *Mais je vous assure que je n'en ai aucune et que M. de La Rochefoucauld à qui on en a voulu donner aussi y en a aussi peu que moi ; il a fait tant de serments qu'il est impossible de ne pas le croire, surtout pour une chose qui peut être avouée sans honte. » Mais lorsque Ménage, en 1691, lui demande, pour son* Histoire de Sablé, *si le roman est bien d'elle, et non pas, comme l'affirment quelques-uns, de La Rochefoucauld ou de Segrais, elle lui répond : « Je ne crois pas que les deux personnes que vous me nommez y aient nulle part qu'un peu de correction. Les personnes qui sont de vos amis n'avouent point y en avoir ; mais à vous, que n'avoueraient-elles point ? » Si l'on songe que la lettre était dictée à une secrétaire devant qui Mme de Lafayette ne voulait pas se découvrir, on peut raisonnablement la considérer comme une confirmation. Reste à*

1. Il s'agit de *La Princesse de Montpensier.*

savoir pourquoi l'auteur s'est ainsi désolidarisé d'une œuvre qui pouvait être « avouée sans honte ». Est-ce uniquement en raison de sa situation ? Est-ce par goût du mystère ? Est-ce parce que la scène centrale du livre, l'aveu de Mme de Clèves à son mari, était surprenante, invraisemblable, comme beaucoup de personnes l'écrivirent à l'époque ? Est-ce encore parce que Mme de Lafayette craignait qu'on ne mît des noms derrière certains personnages, et lesquels ? Tous ces arguments peuvent être invoqués. Mais il me semble que Mme de Lafayette n'aurait pas été si sensible aux raisons diverses et très fortes qui s'opposaient à ce qu'elle mît son nom sur ce livre, si une sorte d'hésitation devant elle-même, de crainte d'être percée à jour, ne l'y avaient inclinée. On a remarqué depuis longtemps que toute son œuvre était un réquisitoire contre l'amour ; mais personne n'a jamais pu dire d'où lui venait cette frayeur ni si elle avait jamais aimé. C'est ce qu'il serait passionnant de savoir et c'est malheureusement ce que le « brouillard » nous cache.

« Une chose incommode »

En 1653, Mme de Lafayette écrit à Ménage : « Je suis ravie que vous n'ayez point de caprice. Je suis si persuadée que l'amour est une chose incommode que j'ai de la joie que mes amis et moi en soyons exempts. »

Nous ne savons pratiquement rien de sa vie sentimentale. Selon une gazette rimée de l'époque, le remariage de sa mère avec le chevalier Renaud de Sévigné, en

1650, aurait été pour elle une cruelle déception. Marie-Madeleine espérait que « la fête serait pour elle », écrit Loret. Affirmation impossible à vérifier. Un peu plus tard, elle se lie avec Ménage, qui lui fait, comme à d'autres avant elle, une cour assidue en vers français, latins et italiens. Elle ne le décourage pas. Mais il suffit de lire ses lettres pour voir tout ce que cette liaison a d'artificiel — encore que vers la fin de sa vie, vieillie, malade et seule, apprenant que Ménage n'est guère en meilleur état, elle renoue avec lui après une longue brouille et lui écrive une lettre émouvante, en souvenir de leur tendre jeunesse. Dans le cercle des précieux, elle a une renommée bien établie d'insensible. Ses « mots » témoignent d'un esprit railleur et froid. Pourtant son amie Mme de Sévigné cite d'elle des traits qui la montrent émotive à l'extrême : la musique l'« alarme » ; les départs lui arrachent des larmes.

En 1655, brusquement, sans que rien ait pu laisser prévoir à ses proches une décision aussi rapide, elle se marie. Le futur, M. de Lafayette, a dix-huit ans de plus qu'elle. Elle aime Paris et la vie mondaine, il aime la campagne et les occupations rustiques. Tout porte à croire que leurs rapports ressemblèrent assez à ceux de M. et Mme de Clèves : le mari est très amoureux, la femme n'a pour lui que de l'estime. Pendant quelques années, les deux époux ne se quittent guère. Puis, à la fin de 1661, Mme de Lafayette, abandonnant le château d'Espinasse, s'installe définitivement à Paris, tandis que M. de Lafayette retourne surveiller ses terres. On ne sait rien sur les raisons de cette séparation, sinon que les procès très compliqués dans lesquels se débattait le mé-

nage exigeaient des interventions fréquentes dans la capitale. Les contemporains sont muets sur ce sujet et nous n'avons aucune lettre de Mme de Lafayette à son mari. Ce silence est au moins surprenant. Mais il est impossible de conclure à une brouille puisque très régulièrement, dans les années qui suivirent, M. de Lafayette continua à venir à Paris et à faire des séjours chez sa femme, rue de Vaugirard. Sa mort, en 1683, ne donne lieu à aucun commentaire dans la correspondance de Mme de Sévigné, qui sera prolixe sur celle de La Rochefoucauld. Il semble qu'on ait oublié peu à peu ce perpétuel absent. Les rapports se sont refroidis, jusqu'à n'être plus qu'un lien d'affaires, adouci par une affectueuse camaraderie. Mais furent-ils jamais très chauds ?

*Lorsqu'en 1653 la future Mme de Lafayette se plaint de l'« incommodité » de l'amour, on peut se demander si elle est aussi heureuse qu'elle l'affirme de ne point avoir de « caprice ». Huet, qui écrit alors à son ami Ménage, s'étonne que Mme de Lafayette condamne l'amour « sans jamais l'avoir écouté ». C'est une douzaine d'années plus tard, après — peut-être — une courte intrigue avec le nommé Corbinelli, personnage étrange et peu scrupuleux dont il est question dans l'*Histoire d'Henriette, *que commencera sa liaison avec M. de La Rochefoucauld. Il est probable qu'elle a connu le duc très jeune, à l'époque où il « frondait » en compagnie de Renaud de Sévigné et du cardinal de Retz. Elle l'a revu souvent dans les salons. Mais jusque vers 1665, ils n'ont l'un pour l'autre qu'une « belle sympathie ». Le duc est accaparé par Mme de Sablé, et Mme de Lafayette ne*

sera pas dans la confidence des Maximes, *qui l'horri-*
fient lorsqu'elle les lit pour la première fois. Sur les
rapports de Mme de Lafayette et de La Rochefoucauld,
nous sommes un peu mieux renseignés et les amateurs
de petite histoire en ont longuement discuté. L'avis qui
prévaut aujourd'hui est que ces rapports furent platoni-
ques. Nous n'en avons nulle preuve, sinon une lettre de
Mme de Scudéry qui, après avoir parlé du roman écrit
en commun par les deux amis, ajoute : « Ils ne sont pas
d'âge à faire autre chose ensemble. » Mais cette lettre
est de 1677 : M. de La Rochefoucauld a alors soixante-
quatre ans et Mme de Lafayette quarante trois. Il n'est
pas certain que, dix ans plus tôt, leurs relations étaient
aussi pures. Entre le duc blessé, aigri, malade, et qui
écrit lui-même que les « belles passions » s'accommo-
dent de « la plus austère vertu », et la comtesse, malade
elle aussi, effrayée — pourquoi ? — par l'amour, la
vraisemblance veut qu'une amitié tendre, nourrie par
des souffrances et des admirations communes, exclusive
de toute attirance charnelle, se soit lentement dévelop-
pée à travers les lectures, les conversations, les romans
préparés ensemble, jusqu'à devenir un commerce quoti-
dien. C'est tout ce qu'on peut en dire. Le seul document
dont nous disposions, le seul où Mme de Lafayette té-
moigne d'un trouble véritable et laisse, comme on dit,
« parler son cœur », est une lettre qu'elle écrit en 1665
à Mme de Sablé, après avoir reçu la visite du jeune
comte de Saint-Paul, fils de La Rochefoucauld. Cette
lettre prouve à la fois que des bruits couraient sur sa
liaison avec le duc et qu'elle souhaitait vivement les dé-
mentir : « Je hais comme la mort que les gens de son

âge puissent croire que j'ai des galanteries. Il me semble qu'on leur paraît cent ans dès qu'on est plus vieille qu'eux. » Quinze ans plus tard, quand meurt La Rochefoucauld, son chagrin est extrême : Mme de Sévigné en témoigne à plusieurs reprises, d'une façon qui ne saurait tromper : *« La pauvre Mme de Lafayette ne sait plus que faire d'elle-même... Tout le monde se consolera hormis elle. »* Mais c'est après la mort du duc qu'on la voit déployer sa plus vive activité diplomatique. Sans aller jusqu'à prétendre, comme Émile Magne, qu'elle fut *« vite consolée »,* il faut avouer avec lui qu'elle était *« trop raisonnable pour entretenir le chagrin rongeur ».* Ces chagrins, et les folies qui les provoquent, elle les réservait à ses héros.

Les désordres de l'amour

Ce n'est pas en vain que Mme de Lafayette a fréquenté les jansénistes de l'hôtel de Nevers et passionnément défendu les Pensées de Pascal. Il y a, dans sa conception de l'amour, quelque chose de sombre, d'excessif, un pessimisme qui tranche avec l'aimable exubérance de ses prédécesseurs. Toute son œuvre, et La Princesse de Clèves *au premier chef,* dénonce les ravages d'une passion dont les douceurs apparentes cachent la faiblesse de l'homme, son inconstance, sa cruauté.

L'amour la choque, d'abord, par son caractère capricieux et irraisonné. On n'aime pas l'être que l'on estime et qui rêve de vous rendre heureux : on aime une per-

sonne que l'on rencontre par hasard et qui, généralement, ne vous est pas destinée. Le premier coup d'œil
sépare autant qu'il attache. C'est vrai de M. de Clèves
lorsque, apercevant Mlle de Chartres chez le bijoutier,
il est « tellement surpris de sa beauté » qu'il ne peut
« cacher sa surprise » : il épousera celle qu'il aime,
mais ne pourra s'en faire aimer. C'est vrai aussi de
Mme de Clèves qui reconnaît le duc de Nemours à sa
première apparition parce qu'« il était difficile de n'être
pas surpris de le voir quand on ne l'avait jamais vu » :
elle aimera Nemours, mais ne pourra l'épouser. Et c'est
vrai de Nemours, qui est « tellement surpris de [la]
beauté » de la princesse qu'il ne peut s'empêcher, lui
aussi, de « donner des marques de son admiration » : il
aimera Mme de Clèves, s'en fera aimer, mais ne par-
viendra pas à la conquérir. La monotonie même des ex-
pressions dont se sert Mme de Lafayette est significa-
tive : l'amour surgit avec brusquerie ; il est de l'ordre
de la fatalité.

Que l'amour, d'autre part, trouble le « repos public », c'est ce que montrent l'histoire, réelle, d'Henriette et celles, imaginaires, de Mme de Clèves, de la
princesse de Montpensier et de la comtesse de Tende.
Toutes les héroïnes de Mme de Lafayette aiment en dehors du mariage. On peut rêver là-dessus et imaginer,
avec Sainte-Beuve, que Mme de Clèves, c'est Mme de
Lafayette jeune, tandis que La Rochefoucauld serait
« un Nemours vieilli et auteur de maximes ». Mais le
thème était à la mode dans la seconde moitié du siècle.
Sorel écrit en 1671 : « Vous ne verrez presque plus dans
les romans d'aujourd'hui des amours de garçons et de

filles, ce sont partout des hommes qui tournent leurs desseins vers des femmes mariées et les importunent de leurs poursuites pour tâcher de les corrompre. » *L'année même où parut* La Princesse de Clèves, *le* Mercure galant *publiait un article où l'on pouvait lire :* « *Il n'est rien de si commun que de se marier, et rien qui le soit si peu que d'être heureux dans le mariage. L'amour qui y doit être le premier des invités ne s'y trouve presque jamais.* » *Ce problème semble avoir hanté Mme de Lafayette : le rôle que jouaient dans les romans de ses devanciers les obstacles extérieurs, c'est ici le mari qui le joue, ou plus exactement le devoir, dont il est, par son comportement irréprochable, un vivant rappel. Mais, à vrai dire, on peut se demander s'il ne s'agit pas là d'une situation symbolique, et si, en choisissant systématiquement pour héroïnes des femmes mariées, condamnées à ne pouvoir aimer sans déchoir, Mme de Lafayette n'a pas voulu illustrer une vérité plus générale, à savoir qu'en tout état de cause l'amour est une* faiblesse. « *Vous avez de l'inclination pour M. de Nemours* », *dit Mme de Chartres mourante à sa fille ;* « ... *Vous êtes sur le bord du précipice : il faut de grands efforts et de grandes violences pour vous retenir... Ne craignez point de prendre des partis trop rudes et trop difficiles, quelque affreux qu'ils vous paraissent d'abord : ils seront plus doux dans les suites que les malheurs d'une galanterie.* » *Mais le cœur humain est ainsi fait qu'il est irrésistiblement attiré par ce qui lui* plaît. « *L'on est bien faible quand on est amoureux* », « *l'on cède aisément à ce qui plaît* », *il n'est guère de page où ne reparaisse comme un leitmotiv cette idée.*

*L'histoire de l'amour devient alors l'histoire d'une dé-
chéance que la raison est impuissante à empêcher. Cette
course à l'abîme, Mme de Lafayette l'a contée dans
chacun de ses récits, mais nulle part elle ne l'a décrite
avec plus d'impitoyable minutie, plus de rigueur douloureuse que dans* La Princesse de Clèves. *Toujours lucide
et toujours vaincue, Mme de Clèves va de « résolution »
en « résolution » ; elle ne manque ni de courage ni de
loyauté ; mais tout se passe comme si l'univers où l'on
s'examine, où l'on prend des décisions, et celui où l'on
vit étaient deux univers différents que rien ne rejoint.
Toute décision prise un jour est caduque le lendemain :
il n'est pas de réflexion si ferme qui tienne à la vue de
celui qu'on aime. Et comme on vit dans un monde étroit,
d'où il est interdit de sortir et où la vue joue un rôle
décisif, chaque chute aggrave la précédente, ne serait-
ce que parce qu'elle la répète, et le récit trouve son
rythme dans l'alternance de plus en plus rapide de deux
sortes de moments : les moments de solitude, d'obscurité, de honte, mais aussi de calme, où la femme qui
aime constate avec une lucidité impuissante les progrès
du mal, les moments où elle ferme les yeux pour mieux
se voir elle-même, — et ceux où elle les ouvre sur l'autre, où elle n'est plus qu'un regard muet et passionné,
enfermée avec lui dans une complicité que les circonstances rendent inavouable et qui cherche à s'exprimer
dans des propos à double sens ou de furtifs tête-à-tête.*

*Cette faiblesse est-elle au moins compensée par les
joies qu'il apporte ? Non, puisque, ayant commencé
d'aimer, on se condamne à souffrir. L'obstacle réel qui
sépare les amants n'est pas dans les circonstances exté-*

rieures : il est en eux, car on ne peut pas réellement posséder un autre être. L'analyse de Mme de Lafayette annonce ici celle de Proust par la place considérable qu'elle accorde à la jalousie, *qui n'est pas un accident de l'amour, mais qui surgit avec lui, qui est en quelque sorte son premier visage : on est déjà jaloux de celui que l'on aime avant de savoir s'il vous aime, et c'est bien souvent la jalousie qui révèle l'amour.*

Un épisode de Zaïde, *l'admirable récit d'Alphonse, où l'on voit un amant dévoré par une jalousie sans motifs détruire son bonheur de ses propres mains, pousse à l'extrême cette démonstration. La jalousie du prince de Clèves est plus classique, mais non moins violente. Il s'était quelque temps consolé de n'avoir pu conquérir le cœur de sa femme en la croyant insensible. L'aveu de la princesse, destiné en principe à le rassurer, le plonge dans les affres d'une passion toute nouvelle pour lui, qui n'a rien à envier aux faiblesses de l'amour : la jalousie est une déchéance elle aussi, à laquelle on s'abandonne comme on s'abandonne à l'attrait de l'objet aimé, — et dans ce cas précis, une course à la mort. « Je n'ai que des sentiments violents et incertains dont je ne suis pas le maître... Il n'y a plus en moi ni de calme ni de raison. » Obsédé par le désir de connaître le nom de son rival, Clèves est parfaitement conscient de son propre égarement : rien, dans ce qu'on lui a rapporté, ne prouve que sa femme ait pu lui être infidèle : mais il lui suffit de l'imaginer pour se laisser mourir.*

La jalousie enfin, trouve son meilleur aliment dans l'inconstance. Voici la plus grave, et la plus cruelle, des faiblesses de l'amour. Contre elle, la seule protection serait de ne pas aimer ; et si c'est impossible, au moins, de fuir. Telle est la conclusion à laquelle, au terme de sa dérive, aboutit Mme de Clèves. Le discours final qu'elle tient à Nemours, et qui est la clef de tout le roman, montre bien qu'à ses yeux l'obstacle est dans le cœur de l'homme, et non pas dans les événements. M. de Clèves mort, Mme de Clèves n'a plus aucune raison sérieuse de ne pas épouser Nemours, sinon celle-ci : qu'elle n'est pas sûre de sa constance. « Les hommes conservent-ils de la passion dans ces engagements éternels ? Dois-je espérer un miracle en ma faveur et puis-je me mettre en état de voir certainement finir cette passion dont je ferais toute ma félicité ? » Ce sont les « obstacles » — entendez les difficultés extérieures et les incertitudes où l'amant se trouve à l'égard des sentiments de celle qu'il aime — qui font la constance, et c'est le succès qui la défait. « M. de Clèves était peut-être l'unique homme du monde capable de conserver de l'amour dans le mariage. Ma destinée n'a pas voulu que j'aie pu profiter de ce bonheur ; peut-être aussi que sa passion n'avait subsisté que parce qu'il n'en aurait pas trouvé en moi. Mais je n'aurais pas le même moyen de conserver la vôtre. »

Ainsi le cercle est bouclé : l'amour naît hors du mariage, parce qu'un engagement éternel est sa perte ; mais il ne peut vivre sans de tels engagements que l'inconstance naturelle de l'être humain l'empêche de tenir. La sagesse consiste donc à s'en écarter. Le « repos public » est l'image du « repos privé ». « Les raisons que [Mme de Clèves] avait de ne point épouser M. de Nemours lui paraissaient fortes du côté de son devoir et insurmontables du côté de son repos. » *La nuance est essentielle : elle exprime tout ce qu'au fond d'elle-même Mme de Lafayette n'a jamais cessé de désirer, le vœu secret que dissimulent ses entreprises mondaines et son apparente insensibilité, que sa vie contredit et que son œuvre révèle, non pas par hasard, mais parce que cette fin, c'est aussi celle de l'écriture elle-même : le* repos.

L'analyse triomphante

Peu de romans français ont connu une fortune comparable à celle de La Princesse de Clèves. *On compte six éditions du livre entre 1678 et 1700, une vingtaine au XVIIIᵉ siècle, autant au XIXᵉ, et l'époque contemporaine n'a pas démenti ce succès. L'œuvre de Mme de Lafayette passe pour le modèle d'une certaine tradition française du roman que les révolutions successives du genre n'ont pas réussi à démoder vraiment.*

L'impitoyable tableau qu'elle brosse de la faiblesse humaine ne suffit plus, aujourd'hui, à expliquer un pareil destin. Son génie est d'avoir effectivement ouvert à l'art romanesque une voie nouvelle. Il faut être précis sur ce point. On a fait à Mme de Lafayette un grand mérite de sa brièveté. Mais, en 1670, l'ère des grands romans est déjà close. La plupart des œuvres parues après cette date tiennent en un ou deux volumes. Le goût de Mme de Lafayette pour l'histoire, qui va de pair, n'est pas non plus original : à partir de 1660, le roman historique, où la réalité et la fiction sont adroitement mélangées, connaît une vogue en tous points compara-

ble à celle que connaissait le roman héroïque et pasto-
ral au temps des précieux. Dans ses Nouvelles françaises, qui datent de 1657, Segrais, le futur signataire de
Zaïde, fait dire à une de ses héroïnes, la princesse Auré-
lie : « Il me semble que c'est la différence qu'il y a entre
le roman et la nouvelle que le Roman écrit les choses
comme la bienséance le veut et à la manière du poète ;
mais que la Nouvelle doit un peu davantage tenir de
l'Histoire et s'attacher plutôt à donner des images des
choses comme d'ordinaire nous les voyons arriver que
comme notre imagination se les figure. » Nul doute que
Mme de Lafayette ait voulu appliquer ce programme :
dans sa lettre à Lescheraine déjà citée, où elle se défend
d'être l'auteur de la Princesse, elle ne peut se retenir de
faire l'éloge de son propre roman. Qu'en dit-elle ?
Qu'il est « une parfaite imitation du monde de la Cour
et de la manière dont on y vit ». Enfin, Mme de
Lafayette n'a pas inventé l'« analyse ». Disserter sur les
étapes et les accidents de la carte du Tendre était une
des occupations favorites de ses contemporains. L'analyse n'est absente ni de L'Astrée ni des nouvelles de
Mme de Villedieu qui paraissent aux alentours de 1670
et qu'on accusera l'auteur de La Princesse de Clèves
d'avoir plagiées.

   La véritable originalité de Mme de Lafayette — qui
échappera à la plupart de ses contemporains — consiste
dans l'usage narratif absolument neuf qu'elle fait de
l'investigation psychologique. Avant elle, les héros de
romans cessaient d'agir pour s'analyser ; quand elle
n'était pas le prétexte à des discussions mondaines ou à
des morceaux de bravoure galants, l'analyse servait à

expliquer le comportement des personnages ; elle ornait une intrigue qui pouvait se passer d'elle. Au contraire, dans La Princesse de Clèves, *pour la première fois, l'analyse devient un moyen de progression et la substance même du récit. C'est parce que Mme de Clèves réfléchit sur ses sentiments, parce qu'elle cherche à les comprendre et à les dominer que l'histoire avance. L'échec de ses réflexions, l'impuissance où elle se trouve d'enrayer le développement du mal font le tragique de son aventure. Pourquoi ne lisons-nous plus* Cyrus *ou* Clélie ? *Parce que les précieux, prisonniers d'une conception purement décorative du roman, n'ont pas su résoudre le problème fondamental du* temps romanesque. *Les événements qu'ils nous racontent ne s'insèrent pas dans une histoire dont nous pourrions suivre la lente et difficile progression. Les héros n'ont ni âge, ni condition, ni figure, et le commentaire qu'ils font de leurs aventures reste extérieur à celles-ci : c'est le conteur en réalité qui commente, comme il parlerait dans un salon du coup de foudre et de la jalousie, ce ne sont pas les personnages jaloux et amoureux. Mme de Lafayette apporte au problème du temps sa première solution, une solution si ingénieuse et si forte qu'on en usera encore plusieurs siècles plus tard : le temps, l'histoire, le mouvement intérieur sans lesquels le roman ne saurait nous donner l'indispensable impression de réalité, sans lesquels il serait dépourvu de poids, d'épaisseur — l'analyse les prend à son compte. L'angoisse que nous ressentons à suivre les progrès de la passion dans le cœur de Mme de Clèves est tout intellectuelle : c'est l'angoisse lucide d'un raisonnement qui va son*

*chemin de chute en chute, de contradiction en contra-
diction, d'un bout à l'autre du livre. De là vient le sentiment de pureté que laisse le roman et qui fascine ses
imitateurs : les événements et les passions y sont réduits
à leur idée, une idée que le génie de Mme de Lafayette
est d'arriver à rendre* touchante. *Le repos sur lequel il
s'achève, cette « indifférence » dont nous avons vu que
Mme de Lafayette la jugeait « infiniment préférable aux
douleurs de l'amour », ce n'est pas seulement l'apaise-
ment du cœur, c'est aussi le calme de l'esprit, et, si l'on
peut dire, la* fin de l'analyse. *Retirée dans un couvent
où elle se consacre aux « occupations les plus saintes »,
Mme de Clèves peut enfin cesser de s'interroger. Les
passions et les engagements du monde se présentent
alors à ses yeux « tels qu'ils paraissent aux personnes
qui ont des vues plus grandes et plus éloignées ». Bref,
elle ne raisonne plus. Il faut saluer, dans* La Princesse
de Clèves, *cette découverte psychologique et romanesque capitale que Proust, deux siècles et demi plus tard,
retrouvera et développera : l'amour n'est pas seulement
« incommode », comme l'écrit Mme de Lafayette à Ménage, il est aussi* raisonneur. *C'est là son dernier piège
et, en même temps, le moyen de son salut. Nous savons,
par une lettre adressée à Huet, que Mme de Lafayette a
écrit un jour, « sur le bout d'une table », un « raisonnement contre l'amour ». Si l'on peut raisonner contre
l'amour, c'est parce que l'amour lui-même, je veux dire
l'amour lucide, celui qui mesure pas à pas ses propres
ravages, ne cesse de raisonner. Le raisonnement qui dénonce la faute ne l'efface pas. Il la rend plus aiguë, plus
douloureuse. On déraisonne parce qu'on raisonne.*

Mais, pour arriver au-delà de l'amour, en ce lieu tranquille où les passions, enfin, se taisent, quel autre fil d'Ariane suivre, sinon le raisonnement encore ? Comme dit un philosophe, la main qui inflige la blessure est aussi celle qui la guérit.

BERNARD PINGAUD

La Princesse de Clèves

LE LIBRAIRE AU LECTEUR

Quelque approbation qu'ait eue cette Histoire dans les lectures qu'on en a faites, l'auteur n'a pu se résoudre à se déclarer ; il a craint que son nom ne diminuât le succès de son livre. Il sait par expérience que l'on condamne quelquefois les ouvrages sur la médiocre opinion qu'on a de l'auteur et il sait aussi que la réputation de l'auteur donne souvent du prix aux ouvrages. Il demeure donc dans l'obscurité où il est, pour laisser les jugements plus libres et plus équitables, et il se montrera néanmoins si cette Histoire est aussi agréable au public que je l'espère[1].

---

1. En fait, l'« auteur » ne se montrera pas. La première édition attribuant le roman à Mme de Lafayette ne paraîtra qu'en 1780.

PREMIÈRE PARTIE

La magnificence et la galanterie[1] n'ont jamais paru
en France avec tant d'éclat que dans les dernières années du règne de Henri second. Ce prince était galant,
bien fait et amoureux ; quoique sa passion pour Diane
de Poitiers, duchesse de Valentinois, eût commencé il y
avait plus de vingt ans, elle n'en était pas moins violente, et il n'en donnait pas des témoignages moins écla-
tants.

Comme il réussissait admirablement dans tous les
exercices du corps, il en faisait une de ses plus grandes
occupations. C'était tous les jours des parties de chasse
et de paume, des ballets, des courses de bagues[2], ou de
semblables divertissements ; les couleurs et les chiffres

1. « Galanterie » a un sens très large. Le mot ne désigne pas
seulement une liaison amoureuse, mais, plus généralement, tout ce
qui touche à l'amour. De même, « galant », dans un sens restreint,
veut dire amoureux. Plus généralement, il désigne les diverses
qualités qu'on attend d'une personne de Cour : élégance, courtoi-
sie, gaieté...
2. « Course de bague » : un anneau est suspendu à un poteau,
au bout d'une carrière ; les cavaliers doivent l'attraper avec leur
lance.

de Mme de Valentinois paraissaient partout, et elle paraissait elle-même avec tous les ajustements que pouvait avoir Mlle de la Marck, sa petite-fille, qui était alors à marier.

La présence de la Reine autorisait la sienne. Cette princesse était belle, quoiqu'elle eût passé la première jeunesse ; elle aimait la grandeur, la magnificence et les plaisirs. Le Roi l'avait épousée lorsqu'il était encore duc d'Orléans, et qu'il avait pour aîné le Dauphin, qui mourut à Tournon, prince que sa naissance et ses grandes qualités destinaient à remplir dignement la place du roi François premier, son père.

L'humeur ambitieuse de la Reine lui faisait trouver une grande douceur à régner ; il semblait qu'elle souffrît sans peine l'attachement du Roi pour la duchesse de Valentinois, et elle n'en témoignait aucune jalousie, mais elle avait une si profonde dissimulation qu'il était difficile de juger de ses sentiments, et la politique l'obligeait d'approcher cette duchesse de sa personne, afin d'en approcher aussi le Roi. Ce prince aimait le commerce des femmes, même de celles dont il n'était pas amoureux : il demeurait tous les jours chez la Reine à l'heure du cercle[1], où tout ce qu'il y avait de plus beau et de mieux fait, de l'un et de l'autre sexe, ne manquait pas de se trouver.

Jamais Cour[2] n'a eu tant de belles personnes et

1. On appelle « cercle » « la compagnie des princesses et des duchesses assises en rond, à gauche et à droite de la Reine » (*Dictionnaire de l'Académie*).
2. Valincour, dans ses *Lettres* sur *La Princesse de Clèves* (cf. ci-dessous, p. 267), critique cette « longue description de la Cour » qui annonce moins un roman qu'un morceau d'histoire de France.

d'hommes admirablement bien faits ; et il semblait que la nature eût pris plaisir à placer ce qu'elle donne de plus beau dans les plus grandes princesses et dans les plus grands princes. Mme Élisabeth de France, qui fut depuis reine d'Espagne, commençait à faire paraître un esprit[1] surprenant et cette incomparable beauté qui lui a été si funeste. Marie Stuart, reine d'Écosse, qui venait d'épouser M. le Dauphin, et qu'on appelait la Reine Dauphine, était une personne parfaite pour l'esprit et pour le corps ; elle avait été élevée à la cour de France, elle en avait pris toute la politesse, et elle était née avec tant de dispositions pour toutes les belles choses que, malgré sa grande jeunesse, elle les aimait et s'y connaissait mieux que personne. La Reine, sa belle-mère, et Madame sœur du Roi, aimaient aussi les vers, la comédie et la musique. Le goût que le roi François premier avait eu pour la poésie et pour les lettres, régnait encore en France ; et le Roi son fils, aimant les exercices du corps, tous les plaisirs étaient à la Cour ; mais ce qui rendait cette Cour belle et majestueuse, était le nombre infini de princes et de grands seigneurs d'un mérite extraordinaire. Ceux que je vais nommer étaient, en des manières différentes, l'ornement et l'admiration de leur siècle.

Le roi de Navarre attirait le respect de tout le monde par la grandeur de son rang et par celle qui paraissait en sa personne. Il excellait dans la guerre, et le duc de Guise lui donnait une émulation qui l'avait porté plu-

---

1. « Esprit » : tantôt, c'est l'intelligence, ou l'âme, tantôt la vivacité et le piquant qui font le plaisir des conversations mondaines.

sieurs fois à quitter sa place de général, pour aller combattre auprès de lui comme un simple soldat, dans les lieux les plus périlleux. Il est vrai aussi que ce duc avait donné des marques d'une valeur si admirable et avait eu de si heureux succès qu'il n'y avait point de grand capitaine qui ne dût le regarder avec envie. Sa valeur était soutenue de toutes les autres grandes qualités : il avait un esprit vaste et profond, une âme noble et élevée, et une égale capacité pour la guerre et pour les affaires. Le cardinal de Lorraine, son frère, était né avec une ambition démesurée, avec un esprit vif et une éloquence admirable, et il avait acquis une science profonde, dont il se servait pour se rendre considérable en défendant la religion catholique qui commençait d'être attaquée. Le chevalier de Guise, que l'on appela depuis le grand prieur, était un prince aimé de tout le monde, bien fait, plein d'esprit, plein d'adresse, et d'une valeur célèbre par toute l'Europe. Le prince de Condé, dans un petit corps peu favorisé de la nature, avait une âme grande et hautaine, et un esprit qui le rendait aimable aux yeux même des plus belles femmes. Le duc de Nevers, dont la vie était glorieuse par la guerre et par les grands emplois qu'il avait eus, quoique dans un âge un peu avancé, faisait les délices de la Cour. Il avait trois fils parfaitement bien faits : le second, qu'on appelait le prince de Clèves, était digne de soutenir la gloire de son nom ; il était brave et magnifique, et il avait une prudence qui ne se trouve guère avec la jeunesse. Le vidame de Chartres, descendu de cette ancienne maison de Vendôme, dont les princes du sang n'ont point dédaigné de porter le nom, était également distingué dans la

La superlative ; un comparaison aux autres de la Cour

guerre et dans la galanterie. Il était beau, de bonne mine, vaillant, hardi, libéral ; toutes ces bonnes qualités étaient vives et éclatantes ; enfin, il était seul digne d'être comparé au duc de Nemours, si quelqu'un lui eût pu être comparable. Mais ce prince était un chef-d'œuvre de la nature ; ce qu'il avait de moins admirable, c'était d'être l'homme du monde le mieux fait et le plus beau. Ce qui le mettait au-dessus des autres était une valeur incomparable, et un agrément dans son esprit, dans son visage et dans ses actions que l'on n'a jamais vu qu'à lui seul ; il avait un enjouement qui plaisait également aux hommes et aux femmes, une adresse extraordinaire dans tous ses exercices, une manière de s'habiller qui était toujours suivie de tout le monde, sans pouvoir être imitée, et enfin un air dans toute sa personne qui faisait qu'on ne pouvait regarder que lui dans tous les lieux où il paraissait. Il n'y avait aucune dame dans la Cour dont la gloire n'eût été flattée de le voir attaché à elle ; peu de celles à qui il s'était attaché, se pouvaient vanter de lui avoir résisté, et même plusieurs à qui il n'avait point témoigné de passion, n'avaient pas laissé d'en avoir pour lui. Il avait tant de douceur et tant de disposition à la galanterie qu'il ne pouvait refuser quelques soins à celles qui tâchaient de lui plaire : ainsi il avait plusieurs maîtresses, mais il était difficile de deviner celle qu'il aimait véritablement. Il allait souvent chez la Reine Dauphine ; la beauté de cette princesse, sa douceur, le soin qu'elle avait de plaire à tout le monde et l'estime particulière qu'elle témoignait à ce prince, avaient souvent donné lieu de croire qu'il levait les yeux jusqu'à elle. MM. de Guise, dont elle était nièce, avaient beaucoup augmenté

Perfection du duc [VS] l'infériorité de M. de
↳passion, satisfaction   Clèves.
égoïste

leur crédit et leur considération par son mariage ; leur ambition les faisait aspirer à s'égaler aux princes du sang et à partager le pouvoir du connétable de Montmorency. Le Roi se reposait sur lui de la plus grande partie du gouvernement des affaires et traitait le duc de Guise et le maréchal de Saint-André comme ses favoris ; mais ceux que la faveur ou les affaires approchaient de sa personne, ne s'y pouvaient maintenir qu'en se soumettant à la duchesse de Valentinois ; et, quoiqu'elle n'eût plus de jeunesse ni de beauté, elle le gouvernait avec un empire si absolu que l'on peut dire qu'elle était maîtresse de sa personne et de l'État.

Le Roi avait toujours aimé le Connétable, et sitôt qu'il avait commencé à régner, il l'avait rappelé de l'exil où le roi François premier l'avait envoyé. La Cour était partagée entre MM. de Guise et le Connétable, qui était soutenu des princes du sang. L'un et l'autre partis avaient toujours songé à gagner la duchesse de Valentinois. Le duc d'Aumale, frère du duc de Guise, avait épousé une de ses filles ; le Connétable aspirait à la même alliance. Il ne se contentait pas d'avoir marié son fils aîné avec Mme Diane, fille du Roi et d'une dame de Piémont, qui se fit religieuse aussitôt qu'elle fut accouchée. Ce mariage avait eu beaucoup d'obstacles, par les promesses que M. de Montmorency avait faites à Mlle de Piennes, une des filles d'honneur de la Reine ; et, bien que le Roi les eût surmontés avec une patience et une bonté extrêmes, ce connétable ne se trouvait pas encore assez appuyé s'il ne s'assurait de Mme de Valentinois, et s'il ne la séparait de MM. de Guise, dont la grandeur commençait à donner de l'inquiétude à cette duchesse. Elle avait retardé, autant qu'elle avait pu, le mariage du Dauphin avec la reine d'Écosse : la beauté et l'esprit capable et avancé de cette jeune reine, et l'élévation que ce mariage donnait à MM. de Guise, lui étaient insupportables. Elle haïssait particulièrement le cardinal de Lorraine ; il lui avait parlé avec aigreur, et même avec mépris. Elle voyait qu'il prenait des liaisons avec la Reine ; de sorte que le Connétable la trouva disposée à s'unir avec lui, et à entrer dans son alliance par le mariage de Mlle de la Marck, sa petite-fille, avec M. d'Anville, son second fils, qui succéda depuis à sa charge sous le règne de Charles IX. Le Connétable ne crut pas trouver d'obstacles dans l'esprit de M. d'Anville pour un mariage, comme il en avait trouvé dans l'esprit de M. de Montmorency ; mais, quoique les raisons lui en fussent cachées, les difficultés n'en furent guère moindres. M. d'Anville était éperdument amoureux de la Reine Dauphine et, quelque peu d'espérance qu'il eût dans cette passion, il ne pouvait se résoudre à prendre un engagement qui partagerait ses soins. Le maréchal de Saint-André était le seul dans la Cour qui n'eût point pris de parti. Il était un des favoris, et sa faveur ne tenait qu'à sa personne : le Roi l'avait aimé dès le temps qu'il était dauphin ; et depuis, il l'avait fait maréchal de France, dans un âge où l'on n'a pas encore accoutumé de prétendre aux moindres dignités. Sa faveur lui donnait un éclat qu'il soutenait par son mérite et par l'agrément de sa personne, par une grande délicatesse pour sa table et pour ses meubles et par la plus grande magnificence qu'on eût jamais vue en un particulier. La libéralité du Roi fournissait à cette dépense ;

ce prince allait jusqu'à la prodigalité pour ceux qu'il aimait ; il n'avait pas toutes les grandes qualités, mais il en avait plusieurs, et surtout celle d'aimer la guerre et de l'entendre ; aussi avait-il eu d'heureux succès, et, si on en excepte la bataille de Saint-Quentin, son règne n'avait été qu'une suite de victoires. Il avait gagné en personne la bataille de Renty ; le Piémont avait été conquis ; les Anglais avaient été chassés de France, et l'empereur Charles-Quint avait vu finir sa bonne fortune devant la ville de Metz, qu'il avait assiégée inutilement avec toutes les forces de l'Empire et de l'Espagne. Néanmoins, comme le malheur de Saint-Quentin avait diminué l'espérance de nos conquêtes, et que, depuis, la fortune avait semblé se partager entre les deux rois, ils se trouvèrent insensiblement disposés à la paix.

La duchesse douairière de Lorraine avait commencé à en faire des propositions dans le temps du mariage de M. le Dauphin ; il y avait toujours eu depuis quelque négociation secrète. Enfin, Cercamp, dans le pays d'Artois, fut choisi pour le lieu où l'on devait s'assembler. Le cardinal de Lorraine, le connétable de Montmorency et le maréchal de Saint-André s'y trouvèrent pour le Roi ; le duc d'Albe et le prince d'Orange, pour Philippe II ; et le duc et la duchesse de Lorraine furent les médiateurs. Les principaux articles étaient le mariage de Mme Élisabeth de France avec Don Carlos, infant d'Espagne [1], et celui de Madame sœur du Roi, avec M. de Savoie.

1. Le traité de Cateau-Cambrésis obligera, en fait, Élisabeth à épouser le père de Don Carlos, Philippe II. Voir ci-dessous, n. 1, p. 178.

Le Roi demeura cependant sur la frontière et il y reçut la nouvelle de la mort de Marie, reine d'Angleterre[1]. Il envoya le comte de Randan à Élisabeth, pour la complimenter sur son avènement à la couronne ; elle le reçut avec joie. Ses droits étaient si mal établis qu'il lui était avantageux de se voir reconnue par le Roi. Ce comte la trouva instruite des intérêts de la cour de France et du mérite de ceux qui la composaient ; mais surtout il la trouva si remplie de la réputation du duc de Nemours, elle lui parla tant de fois de ce prince, et avec tant d'empressement que, quand M. de Randan fut revenu, et qu'il rendit compte au Roi de son voyage, il lui dit qu'il n'y avait rien que M. de Nemours ne pût prétendre auprès de cette princesse, et qu'il ne doutait point qu'elle ne fût capable de l'épouser[2]. Le Roi en parla à ce prince dès le soir même ; il lui fit conter par M. de Randan toutes ses conversations avec Élisabeth et lui conseilla de tenter cette grande fortune. M. de Nemours crut d'abord que le Roi ne lui parlait pas sérieusement, mais comme il vit le contraire :

— Au moins, Sire, lui dit-il, si je m'embarque dans une entreprise chimérique par le conseil et pour le service de Votre Majesté, je la supplie de me garder le secret jusqu'à ce que le succès me justifie vers le public, et de vouloir bien ne me pas faire paraître rempli d'une assez grande vanité pour prétendre qu'une reine, qui ne m'a jamais vu, me veuille épouser par amour.

1. 17 novembre 1558. Ce qui date le début du roman.
2. Brantôme, dans ses *Dames galantes*, évoque ce sentiment de la nouvelle reine d'Angleterre pour Nemours. Historiquement, l'affaire est donc fondée. Mais elle arrange bien Mme de Lafayette qui va l'amplifier pour les besoins de l'intrigue.

Le Roi lui promit de ne parler qu'au Connétable de ce dessein, et il jugea même le secret nécessaire pour le succès. M. de Randan conseillait à M. de Nemours d'aller en Angleterre sur le simple prétexte de voyager, mais ce prince ne put s'y résoudre. Il envoya Lignerolles qui était un jeune homme d'esprit, son favori, pour voir les sentiments de la Reine, et pour tâcher de commencer quelque liaison. En attendant l'événement de ce voyage, il alla voir le duc de Savoie, qui était alors à Bruxelles avec le roi d'Espagne. La mort de Marie d'Angleterre apporta de grands obstacles à la paix ; l'assemblée se rompit à la fin de novembre, et le Roi revint à Paris.

Il parut alors une beauté à la Cour, qui attira les yeux de tout le monde, et l'on doit croire que c'était une beauté parfaite, puisqu'elle donna de l'admiration dans un lieu où l'on était si accoutumé à voir de belles personnes. Elle était de la même maison que le vidame de Chartres et une des plus grandes héritières de France [1]. Son père était mort jeune, et l'avait laissée sous la conduite de Mme de Chartres, sa femme, dont le bien, la vertu et le mérite étaient extraordinaires. Après avoir perdu son mari, elle avait passé plusieurs années sans revenir à la Cour. Pendant cette absence, elle avait donné ses soins à l'éducation de sa fille ; mais elle ne travailla pas seulement à cultiver son esprit et sa beauté, elle songea aussi à lui donner de la vertu et à la lui

---

1. À la différence des princes et des princesses qui viennent d'être cités, Mlle de Chartres n'a jamais existé. Sa mère, Mme de Chartres, non plus. Le roman mêle des personnages imaginaires aux personnages historiques, ce que le critique déplore. Voir p. 261, ma note sur tous ces personnages.

rendre aimable. La plupart des mères s'imaginent qu'il
suffit de ne parler jamais de galanterie devant les jeunes
personnes pour les en éloigner. Mme de Chartres avait
une opinion opposée ; elle faisait souvent à sa fille des
peintures de l'amour ; elle lui montrait ce qu'il a
d'agréable pour la persuader plus aisément sur ce
qu'elle lui en apprenait de dangereux ; elle lui contait le
peu de sincérité des hommes, leurs tromperies et leur
infidélité, les malheurs domestiques où plongent les engagements ; et elle lui faisait voir, d'un autre côté,
quelle tranquillité suivait la vie d'une honnête femme,
et combien la vertu donnait d'éclat et d'élévation à une
personne qui avait de la beauté et de la naissance ; mais
elle lui faisait voir aussi combien il était difficile de conserver cette vertu, que par une extrême défiance de soi-
même et par un grand soin de s'attacher à ce qui seul
peut faire le bonheur d'une femme, qui est d'aimer son
mari et d'en être aimée.

Cette héritière était alors un des grands partis qu'il y
eût en France, et quoiqu'elle fût dans une extrême jeunesse, l'on avait déjà proposé plusieurs mariages.
Mme de Chartres, qui était extrêmement glorieuse, ne
trouvait presque rien digne de sa fille ; la voyant dans
sa seizième année[1], elle voulut la mener à la Cour.
Lorsqu'elle arriva, le Vidame alla au-devant d'elle ; il

---

1. Mariée à 16 ans, Mme de Clèves en aura 17 quand, après la
mort de son mari, elle décidera de quitter la Cour. On oublie souvent l'extrême jeunesse de plusieurs des personnages du roman :
Élisabeth de France a 14 ans, le Dauphin 15, la Dauphine 16. Clèves lui-même, que nous imaginons plutôt comme un homme mûr,
ne doit pas être bien vieux puisque Mme de Chartres lui trouve
« tant de sagesse pour son âge ».

fut surpris de la grande beauté de Mlle de Chartres, et
il en fut surpris avec raison. La blancheur de son teint
et ses cheveux blonds lui donnaient un éclat que l'on
n'a jamais vu qu'à elle ; tous ses traits étaient réguliers,
et son visage et sa personne étaient pleins de grâce et
de charmes.

Le lendemain qu'elle fut arrivée, elle alla pour assor-
tir des pierreries chez un Italien qui en trafiquait par tout
le monde. Cet homme était venu de Florence avec la
Reine, et s'était tellement enrichi dans son trafic que sa
maison paraissait plutôt celle d'un grand seigneur que
d'un marchand. Comme elle y était, le prince de Clèves
y arriva. Il fut tellement surpris de sa beauté qu'il ne put
cacher sa surprise ; et Mlle de Chartres ne put s'empêcher de rougir en voyant l'étonnement qu'elle lui avait
donné. Elle se remit néanmoins, sans témoigner d'autre
attention aux actions de ce prince que celle que la civi-
lité lui devait donner pour un homme tel qu'il paraissait.
M. de Clèves la regardait avec admiration, et il ne pouvait comprendre qui était cette belle personne qu'il ne
connaissait point. Il voyait bien par son air, et par tout
ce qui était à sa suite, qu'elle devait être d'une grande
qualité. Sa jeunesse lui faisait croire que c'était une fille,
mais, ne lui voyant point de mère, et l'Italien qui ne
la connaissait point l'appelant Madame, il ne savait que
penser, et il la regardait toujours avec étonnement. Il
s'aperçut que ses regards l'embarrassaient, contre l'ordinaire des jeunes personnes qui voient toujours avec plaisir l'effet de leur beauté ; il lui parut même qu'il était
cause qu'elle avait de l'impatience de s'en aller, et en
effet elle sortit assez promptement. M. de Clèves se con-

sola de la perdre de vue dans l'espérance de savoir qui
elle était ; mais il fut bien surpris quand il sut qu'on ne
la connaissait point. Il demeura si touché de sa beauté
et de l'air modeste qu'il avait remarqué dans ses actions
qu'on peut dire qu'il conçut pour elle dès ce moment
une passion et une estime extraordinaires. Il alla le soir
chez Madame sœur du roi.

Cette princesse était dans une grande considération
par le crédit qu'elle avait sur le Roi, son frère ; et ce
crédit était si grand que le Roi, en faisant la paix, consentait à rendre le Piémont pour lui faire épouser le duc
de Savoie. Quoiqu'elle eût désiré toute sa vie de se marier, elle n'avait jamais voulu épouser qu'un souverain,
et elle avait refusé pour cette raison le roi de Navarre
lorsqu'il était duc de Vendôme, et avait toujours souhaité M. de Savoie ; elle avait conservé de l'inclination
pour lui depuis qu'elle l'avait vu à Nice à l'entrevue du
roi François premier et du pape Paul troisième. Comme
elle avait beaucoup d'esprit et un grand discernement
pour les belles choses, elle attirait tous les honnêtes
gens [1], et il y avait de certaines heures où toute la Cour
était chez elle.

M. de Clèves y vint comme à l'ordinaire ; il était si
rempli de l'esprit et de la beauté de Mlle de Chartres
qu'il ne pouvait parler d'autre chose. Il conta tout haut
son aventure, et ne pouvait se lasser de donner des
louanges à cette personne qu'il avait vue, qu'il ne connaissait point. Madame lui dit qu'il n'y avait point de

1. L'« honnêteté » désigne ici les traits propres à l'homme du
monde : galant, sachant plaire. Le mot peut aussi prendre un sens
moral : homme de bien, digne d'estime.

personne comme celle qu'il dépeignait et que, s'il y en
avait quelqu'une, elle serait connue de tout le monde.
Mme de Dampierre, qui était sa dame d'honneur et amie
de Mme de Chartres, entendant cette conversation, s'approcha de cette princesse et lui dit tout bas que c'était
sans doute Mlle de Chartres que M. de Clèves avait vue.
Madame se retourna vers lui et lui dit que, s'il voulait
revenir chez elle le lendemain, elle lui ferait voir cette
beauté dont il était si touché. Mlle de Chartres parut en
effet le jour suivant ; elle fut reçue des reines avec tous
les agréments[1] qu'on peut s'imaginer, et avec une telle
admiration de tout le monde qu'elle n'entendait autour
d'elle que des louanges. Elle les recevait avec une modestie si noble qu'il ne semblait pas qu'elle les entendît
ou, du moins, qu'elle en fût touchée. Elle alla ensuite
chez Madame sœur du Roi. Cette princesse, après avoir
loué sa beauté, lui conta l'étonnement qu'elle avait
donné à M. de Clèves. Ce prince entra un moment
après :

— Venez, lui dit-elle, voyez si je ne vous tiens pas
ma parole et si, en vous montrant Mlle de Chartres, je
ne vous fais pas voir cette beauté que vous cherchiez ;
remerciez-moi au moins de lui avoir appris l'admiration
que vous aviez déjà pour elle.

M. de Clèves sentit de la joie de voir que cette personne, qu'il avait trouvée si aimable, était d'une qualité[2]
proportionnée à sa beauté ; il s'approcha d'elle et il la

---

1. « Agrément » : grâce, charme, ou manières agréables, selon
les cas.
2. « De qualité » : « de naissance noble et illustre », dit le *Dictionnaire* de Richelet (1710).

supplia de se souvenir qu'il avait été le premier à l'admirer et que, sans la connaître, il avait eu pour elle tous les sentiments de respect et d'estime qui lui étaient dus.

Le chevalier de Guise et lui, qui étaient amis, sortirent ensemble de chez Madame. Ils louèrent d'abord Mlle de Chartres sans se contraindre. Ils trouvèrent enfin qu'ils la louaient trop, et ils cessèrent l'un et l'autre de dire ce qu'ils en pensaient ; mais ils furent contraints d'en parler les jours suivants partout où ils se rencontrèrent. Cette nouvelle beauté fut longtemps le sujet de toutes les conversations. La Reine lui donna de grandes louanges et eut pour elle une considération extraordinaire ; la Reine Dauphine en fit une de ses favorites et pria Mme de Chartres de la mener souvent chez elle. Mesdames, filles du Roi, l'envoyaient chercher pour être de tous leurs divertissements. Enfin, elle était aimée et admirée de toute la Cour, excepté de Mme de Valentinois. Ce n'est pas que cette beauté lui donnât de l'ombrage : une trop longue expérience lui avait appris qu'elle n'avait rien à craindre auprès du Roi ; mais elle avait tant de haine pour le vidame de Chartres qu'elle avait souhaité d'attacher à elle par le mariage d'une de ses filles, et qui s'était attaché à la Reine, qu'elle ne pouvait regarder favorablement une personne qui portait son nom et pour qui il faisait paraître une grande amitié.

Le prince de Clèves devint passionnément amoureux de Mlle de Chartres et souhaitait ardemment l'épouser ; mais il craignait que l'orgueil de Mme de Chartres ne fût blessé de donner sa fille à un homme qui n'était pas l'aîné de sa maison. Cependant cette maison était si grande, et le comte d'Eu, qui en était l'aîné, venait d'épouser une personne si proche de la maison royale que c'était plutôt la timidité que donne l'amour que de véritables raisons, qui causaient les craintes de M. de Clèves. Il avait un grand nombre de rivaux : le chevalier de Guise lui paraissait le plus redoutable par sa naissance, par son mérite[1] et par l'éclat que la faveur donnait à sa maison. Ce prince était devenu amoureux de Mlle de Chartres le premier jour qu'il l'avait vue ; il s'était aperçu de la passion de M. de Clèves, comme M. de Clèves s'était aperçu de la sienne. Quoiqu'ils fussent amis, l'éloignement que donnent les mêmes prétentions ne leur avait pas permis de s'expliquer ensemble ; et leur amitié s'était refroidie sans qu'ils eussent eu la force de s'éclaircir. L'aventure qui était arrivée à M. de Clèves, d'avoir vu le premier Mlle de Chartres, lui paraissait un heureux présage et semblait lui donner quelque avantage sur ses rivaux ; mais il prévoyait de grands obstacles par le duc de Nevers, son père. Ce duc avait d'étroites liaisons avec la duchesse de Valentinois : elle était ennemie du Vidame, et cette raison était suffisante pour empêcher le duc de Nevers de consentir que son fils pensât à sa nièce.

Mme de Chartres, qui avait eu tant d'application pour inspirer la vertu à sa fille, ne discontinua pas de prendre les mêmes soins dans un lieu où ils étaient si nécessaires et où il y avait tant d'exemples si dangereux. L'ambition

---

1. Par « mérite », il faut entendre un ensemble de qualités qui suscitent l'« estime ».

et la galanterie étaient l'âme de cette cour, et occupaient également les hommes et les femmes. Il y avait tant d'intérêts et tant de cabales [1] différentes, et les dames y avaient tant de part que l'amour était toujours mêlé aux affaires et les affaires à l'amour. Personne n'était tranquille, ni indifférent ; on songeait à s'élever, à plaire, à servir ou à nuire ; on ne connaissait ni l'ennui, ni l'oisiveté, et on était toujours occupé des plaisirs ou des intrigues. Les dames avaient des attachements particuliers pour la Reine, pour la Reine Dauphine, pour la reine de Navarre, pour Madame sœur du Roi, ou pour la duchesse de Valentinois. Les inclinations, les raisons de bienséance ou le rapport d'humeur faisaient ces différents attachements. Celles qui avaient passé la première jeunesse et qui faisaient profession d'une vertu plus austère, étaient attachées à la Reine. Celles qui étaient plus jeunes et qui cherchaient la joie et la galanterie faisaient leur cour à la Reine Dauphine. La reine de Navarre avait ses favorites ; elle était jeune et elle avait du pouvoir sur le roi son mari : il était joint au Connétable, et avait par là beaucoup de crédit. Madame sœur du Roi, conservait encore de la beauté et attirait plusieurs dames auprès d'elle. La duchesse de Valentinois avait toutes celles qu'elle daignait regarder ; mais peu de femmes lui étaient agréables ; et excepté quelques-unes, qui avaient sa familiarité et sa confiance, et dont l'humeur avait du rapport avec la sienne, elle n'en recevait chez elle que les jours où elle prenait plaisir à avoir une cour comme celle de la Reine.

---

1. « Cabale » : au sens originel, manœuvres secrètes dirigées contre quelqu'un. D'où coterie organisée.

Toutes ces différentes cabales avaient de l'émulation et de l'envie les unes contre les autres : les dames qui les composaient avaient aussi de la jalousie entre elles, ou pour la faveur, ou pour les amants ; les intérêts de grandeur et d'élévation se trouvaient souvent joints à ces autres intérêts moins importants, mais qui n'étaient pas moins sensibles. Ainsi il y avait une sorte d'agitation sans désordre dans cette cour, qui la rendait très agréable, mais aussi très dangereuse pour une jeune personne. Mme de Chartres voyait ce péril et ne songeait qu'aux moyens d'en garantir sa fille. Elle la pria, non pas comme sa mère, mais comme son amie, de lui faire confidence de toutes les galanteries qu'on lui dirait, et elle lui promit de lui aider [1] à se conduire dans des choses où l'on était souvent embarrassée quand on était jeune.

Le chevalier de Guise fit tellement paraître les sentiments et les desseins qu'il avait pour Mlle de Chartres qu'ils ne furent ignorés de personne. Il ne voyait néanmoins que de l'impossibilité dans ce qu'il désirait ; il savait bien qu'il n'était point un parti qui convînt à Mlle de Chartres, par le peu de biens qu'il avait pour soutenir son rang ; et il savait bien aussi que ses frères n'approuveraient pas qu'il se mariât, par la crainte de l'abaissement que les mariages des cadets apportent d'ordinaire dans les grandes maisons. Le cardinal de Lorraine lui fit bientôt voir qu'il ne se trompait pas ; il condamna l'attachement qu'il témoignait pour Mlle de

---

1. La construction intransitive « lui aider » est encore courante à l'époque classique.

Chartres avec une chaleur extraordinaire ; mais il ne lui en dit pas les véritables raisons. Ce cardinal avait une haine pour le Vidame, qui était secrète alors, et qui éclata depuis. Il eût plutôt consenti à voir son frère entrer dans toute autre alliance que dans celle de ce vidame ; et il déclara si publiquement combien il en était éloigné que Mme de Chartres en fut sensiblement offensée. Elle prit de grands soins de faire voir que le cardinal de Lorraine n'avait rien à craindre, et qu'elle ne songeait pas à ce mariage. Le Vidame prit la même conduite et sentit, encore plus que Mme de Chartres, celle du cardinal de Lorraine, parce qu'il en savait mieux la cause.

Le prince de Clèves n'avait pas donné des marques moins publiques de sa passion qu'avait fait le chevalier de Guise. Le duc de Nevers apprit cet attachement avec chagrin ; il crut néanmoins qu'il n'avait qu'à parler à son fils pour le faire changer de conduite ; mais il fut bien surpris de trouver en lui le dessein formé d'épouser Mlle de Chartres. Il blâma ce dessein, il s'emporta et cacha si peu son emportement que le sujet s'en répandit bientôt à la Cour et alla jusqu'à Mme de Chartres. Elle n'avait pas mis en doute que M. de Nevers ne regardât le mariage de sa fille comme un avantage pour son fils ; elle fut bien étonnée que la maison de Clèves et celle de Guise craignissent son alliance, au lieu de la souhaiter. Le dépit qu'elle eut lui fit penser à trouver un parti pour sa fille, qui la mît au-dessus de ceux qui se croyaient au-dessus d'elle. Après avoir tout examiné, elle s'arrêta au Prince dauphin, fils du duc de Montpensier[1]. Il était lors à marier, et c'était ce qu'il y avait de plus grand à la Cour. Comme Mme de Chartres avait beaucoup d'esprit, qu'elle était aidée du Vidame qui était dans une grande considération, et qu'en effet sa fille était un parti considérable, elle agit avec tant d'adresse et tant de succès que M. de Montpensier parut souhaiter ce mariage, et il semblait qu'il ne s'y pouvait trouver de difficultés.

Le Vidame, qui savait l'attachement de M. d'Anville pour la Reine Dauphine, crut néanmoins qu'il fallait employer le pouvoir que cette princesse avait sur lui pour l'engager à servir Mlle de Chartres auprès du Roi et auprès du prince de Montpensier, dont il était ami intime. Il en parla à cette reine, et elle entra avec joie dans une affaire où il s'agissait de l'élévation d'une personne qu'elle aimait beaucoup ; elle le témoigna au Vidame, et l'assura que, quoiqu'elle sût bien qu'elle ferait une chose désagréable au cardinal de Lorraine, son oncle, elle passerait avec joie par-dessus cette considération parce qu'elle avait sujet de se plaindre de lui et qu'il prenait tous les jours les intérêts de la Reine contre les siens propres.

Les personnes galantes sont toujours bien aises qu'un prétexte leur donne lieu de parler à ceux qui les aiment. Sitôt que le Vidame eut quitté Mme la Dauphine, elle ordonna à Chastelart, qui était favori de M. d'Anville, et qui savait la passion qu'il avait pour elle, de lui aller dire, de sa part, de se trouver le soir chez la Reine.

---

1. À l'origine, le titre féodal de « dauphin » remplaçait celui de comte ou de duc dans certaines provinces de France. Ainsi, le fils du duc de Montpensier était dauphin d'Auvergne.

Chastelart reçut cette commission avec beaucoup de joie et de respect. Ce gentilhomme était d'une bonne maison de Dauphiné ; mais son mérite et son esprit le mettaient au-dessus de sa naissance. Il était reçu et bien traité de tout ce qu'il y avait de grands seigneurs à la Cour, et la faveur de la maison de Montmorency l'avait particulièrement attaché à M. d'Anville. Il était bien fait de sa personne, adroit à toutes sortes d'exercices ; il chantait agréablement, il faisait des vers, et avait un esprit galant et passionné qui plut si fort à M. d'Anville qu'il le fit confident de l'amour qu'il avait pour la Reine Dauphine. Cette confidence l'approchait de cette princesse, et ce fut en la voyant souvent qu'il prit le commencement de cette malheureuse passion qui lui ôta la raison et qui lui coûta enfin la vie.

M. d'Anville ne manqua pas d'être le soir chez la Reine ; il se trouva heureux que Mme la Dauphine l'eût choisi pour travailler à une chose qu'elle désirait, et il lui promit d'obéir exactement à ses ordres ; mais Mme de Valentinois, ayant été avertie du dessein de ce mariage, l'avait traversé [1] avec tant de soin, et avait tellement prévenu [2] le Roi que, lorsque M. d'Anville lui en parla, il lui fit paraître qu'il ne l'approuvait pas et lui ordonna même de le dire au prince de Montpensier. L'on peut juger ce que sentit Mme de Chartres par la rupture d'une chose qu'elle avait tant désirée, dont le mauvais succès donnait un si grand avantage à ses ennemis et faisait un si grand tort à sa fille.

La Reine Dauphine témoigna à Mlle de Chartres, avec

1. « Traverser » : empêcher, créer des difficultés.
2. « Prévenir » : disposer quelqu'un dans un certain sens.

beaucoup d'amitié, le déplaisir qu'elle avait de lui avoir
été inutile :

— Vous voyez, lui dit-elle, que j'ai un médiocre pouvoir ; je suis si haïe de la Reine et de la duchesse de
Valentinois qu'il est difficile que, par elles ou par ceux
qui sont dans leur dépendance, elles ne traversent toujours toutes les choses que je désire. Cependant, ajouta-
t-elle, je n'ai jamais pensé qu'à leur plaire ; aussi elles
ne me haïssent qu'à cause de la Reine ma mère, qui leur
a donné autrefois de l'inquiétude et de la jalousie. Le
Roi en avait été amoureux avant qu'il le fût de Mme de
Valentinois ; et dans les premières années de son mariage, qu'il n'avait point encore d'enfants, quoiqu'il aimât cette duchesse, il parut quasi résolu de se démarier
pour épouser la Reine ma mère. Mme de Valentinois qui
craignait une femme qu'il avait déjà aimée, et dont la
beauté et l'esprit pouvaient diminuer sa faveur, s'unit au
Connétable, qui ne souhaitait pas aussi[1] que le Roi
épousât une sœur de MM. de Guise. Ils mirent le feu
Roi dans leurs sentiments, et quoiqu'il haït mortellement
la duchesse de Valentinois, comme il aimait la Reine, il
travailla avec eux pour empêcher le Roi de se démarier ;
mais, pour lui ôter absolument la pensée d'épouser la
Reine ma mère, ils firent son mariage avec le roi
d'Écosse, qui était veuf de Mme Magdeleine, sœur du
Roi, et ils le firent parce qu'il était le plus prêt à conclure, et manquèrent aux engagements qu'on avait avec
le roi d'Angleterre, qui la souhaitait ardemment. Il s'en
fallait peu même que ce manquement ne fît une rupture

1. « Aussi » est employé souvent au sens de « non plus ». Voir,
par exemple, p. 139.

entre les deux rois. Henri VIII ne pouvait se consoler de n'avoir pas épousé la Reine ma mère ; et, quelque autre princesse française qu'on lui proposât, il disait toujours qu'elle ne remplacerait jamais celle qu'on lui avait ôtée. Il est vrai aussi que la Reine ma mère, était une parfaite beauté, et que c'est une chose remarquable que, veuve d'un duc de Longueville, trois rois aient souhaité de l'épouser ; son malheur l'a donnée au moindre et l'a mise dans un royaume où elle ne trouve que des peines[1]. On dit que je lui ressemble ; je crains de lui ressembler aussi par sa malheureuse destinée et, quelque bonheur qui semble se préparer pour moi, je ne saurais croire que j'en jouisse. Mlle de Chartres dit à la Reine que ces tristes pressentiments étaient si mal fondés qu'elle ne les conserverait pas longtemps, et qu'elle ne devait point douter que son bonheur ne répondît aux apparences.

Personne n'osait plus penser à Mlle de Chartres, par la crainte de déplaire au Roi ou par la pensée de ne pas réussir auprès d'une personne qui avait espéré un prince du sang. M. de Clèves ne fut retenu par aucune de ces considérations. La mort du duc de Nevers, son père, qui arriva alors, le mit dans une entière liberté de suivre son inclination[2] et, sitôt que le temps de la bienséance du deuil fut passé, il ne songea plus qu'aux moyens d'épou-

1. Ce raccourci sur les rapports du Roi et de la mère de Marie Stuart est puisé dans l'*Histoire de France* de Matthieu (1631).
2. L'« inclination », mot caractéristique du vocabulaire amoureux de l'époque, va de la simple sympathie à la passion la plus violente. Dans la fameuse carte du Tendre de *Clélie*, que Mme de Lafayette connaît bien, l'amant qui se laisse porter par la rivière « Inclination » parvient à Tendre en une seule étape, tant son cours est rapide.

ser Mlle de Chartres. Il se trouvait heureux d'en faire la proposition dans un temps où ce qui s'était passé avait éloigné les autres partis et où il était quasi assuré qu'on ne la lui refuserait pas. Ce qui troublait sa joie, était la crainte de ne lui être pas agréable, et il eût préféré le bonheur de lui plaire à la certitude de l'épouser sans en être aimé.

Le chevalier de Guise lui avait donné quelque sorte de jalousie ; mais comme elle était plutôt fondée sur le mérite de ce prince que sur aucune des actions de Mlle de Chartres, il songea seulement à tâcher de découvrir s'il était assez heureux pour qu'elle approuvât la pensée qu'il avait pour elle. Il ne la voyait que chez les reines ou aux assemblées ; il était difficile d'avoir une conversation particulière. Il en trouva pourtant les moyens et il lui parla de son dessein et de sa passion avec tout le respect imaginable ; il la pressa de lui faire connaître quels étaient les sentiments qu'elle avait pour lui et il lui dit que ceux qu'il avait pour elle étaient d'une nature qui le rendrait éternellement malheureux si elle n'obéissait que par devoir aux volontés de Madame sa mère.

Comme Mlle de Chartres avait le cœur très noble et très bien fait, elle fut véritablement touchée de reconnaissance du procédé du prince de Clèves. Cette reconnaissance donna à ses réponses et à ses paroles un certain air de douceur qui suffisait pour donner de l'espérance à un homme aussi éperdument amoureux que l'était ce prince ; de sorte qu'il se flatta d'une partie de ce qu'il souhaitait.

Elle rendit compte à sa mère de cette conversation, et

Mme de Chartres lui dit qu'il y avait tant de grandeur et de bonnes qualités dans M. de Clèves et qu'il faisait paraître tant de sagesse pour son âge que, si elle sentait son inclination portée à l'épouser, elle y consentirait avec joie. Mlle de Chartres répondit qu'elle lui remarquait les mêmes bonnes qualités ; qu'elle l'épouserait même avec moins de répugnance qu'un autre, mais qu'elle n'avait aucune inclination particulière pour sa personne.

Dès le lendemain, ce prince fit parler à Mme de Chartres ; elle reçut la proposition qu'on lui faisait et elle ne craignit point de donner à sa fille un mari qu'elle ne pût aimer en lui donnant le prince de Clèves. Les articles furent conclus ; on parla au Roi, et ce mariage fut su de tout le monde.

M. de Clèves se trouvait heureux sans être néanmoins entièrement content. Il voyait avec beaucoup de peine que les sentiments de Mlle de Chartres ne passaient[1] pas ceux de l'estime et de la reconnaissance[2] et il ne pouvait se flatter qu'elle en cachât de plus obligeants, puisque l'état où ils étaient lui permettait de les faire paraître sans choquer son extrême modestie. Il ne se passait guère de jours qu'il ne lui en fît ses plaintes.

— Est-il possible, lui disait-il, que je puisse n'être pas heureux en vous épousant ? Cependant il est vrai que je ne le suis pas. Vous n'avez pour moi qu'une sorte de bonté qui ne me peut satisfaire ; vous n'avez ni impa-

1. « Ne passaient pas » : ne dépassaient pas.
2. L'« estime » et la « reconnaissance » permettent aussi d'arriver à Tendre, mais par étapes. Elles peuvent faire naître la tendresse, elles ne remplacent jamais l'inclination.

tience, ni inquiétude, ni chagrin ; vous n'êtes pas plus touchée de ma passion que vous le seriez d'un attachement qui ne serait fondé que sur les avantages de votre fortune et non pas sur les charmes de votre personne.

— Il y a de l'injustice à vous plaindre, lui répondit-elle ; je ne sais ce que vous pouvez souhaiter au-delà de ce que je fais, et il me semble que la bienséance[1] ne permet pas que j'en fasse davantage.

— Il est vrai, lui répliqua-t-il, que vous me donnez de certaines apparences dont je serais content s'il y avait quelque chose au-delà ; mais, au lieu que la bienséance vous retienne, c'est elle seule qui vous fait faire ce que vous faites. Je ne touche ni votre inclination, ni votre cœur, et ma présence ne vous donne ni de plaisir, ni de trouble[2].

— Vous ne sauriez douter, reprit-elle, que je n'aie de la joie de vous voir, et je rougis si souvent en vous voyant que vous ne sauriez douter aussi que votre vue ne me donne du trouble.

— Je ne me trompe pas à votre rougeur, répondit-il ; c'est un sentiment de modestie, et non pas un mouvement de votre cœur, et je n'en tire que l'avantage que j'en dois tirer.

Mlle de Chartres ne savait que répondre, et ces distinctions étaient au-dessus de ses connaissances. M. de Clèves ne voyait que trop combien elle était éloignée

1. « Bienséance » : désigne une conduite respectueuse de ce qui se dit, ce qui se fait. C'est une qualité plus sociale que morale.
2. « Trouble » : agitation causée par un sentiment intense. « Impatience », « inquiétude », « chagrin », « trouble » : autant de signes auxquels se reconnaît la passion.

d'avoir pour lui des sentiments qui le pouvaient satisfaire, puisqu'il lui paraissait même qu'elle ne les entendait pas.

Le chevalier de Guise revint d'un voyage peu de jours
avant les noces. Il avait vu tant d'obstacles insurmontables au dessein qu'il avait eu d'épouser Mlle de Chartres
qu'il n'avait pu se flatter d'y réussir ; et néanmoins il
fut sensiblement affligé de la voir devenir la femme
d'un autre. Cette douleur n'éteignit pas sa passion et il
ne demeura pas moins amoureux. Mlle de Chartres
n'avait pas ignoré les sentiments que ce prince avait eus
pour elle. Il lui fit connaître, à son retour, qu'elle était
cause de l'extrême tristesse qui paraissait sur son visage ; et il avait tant de mérite et tant d'agréments qu'il
était difficile de le rendre malheureux sans en avoir
quelque pitié. Aussi ne se pouvait-elle défendre d'en
avoir ; mais cette pitié ne la conduisait pas à d'autres
sentiments : elle contait à sa mère la peine que lui donnait l'affliction[1] de ce prince.

Mme de Chartres admirait la sincérité de sa fille, et
elle l'admirait avec raison, car jamais personne n'en a
eu une si grande et si naturelle ; mais elle n'admirait pas
moins que son cœur ne fût point touché, et d'autant plus
qu'elle voyait bien que le prince de Clèves ne l'avait
pas touchée, non plus que les autres. Cela fut cause
qu'elle prit de grands soins de l'attacher à son mari et
de lui faire comprendre ce qu'elle devait à l'inclination

---

1. « Affection », dit l'édition originale. J. Mesnard, dans son
édition de 1980, propose de corriger par « affliction ». Vu l'usage
fréquent que Mme de Lafayette fait de ce dernier mot, on peut
penser, en effet, qu'« affection » est une coquille.

qu'il avait eue pour elle avant que de la connaître et à
la passion qu'il lui avait témoignée en la préférant à tous
les autres partis, dans un temps où personne n'osait plus
penser à elle.

Ce mariage s'acheva, la cérémonie s'en fit au Louvre ; et le soir, le Roi et les reines vinrent souper chez
Mme de Chartres avec toute la Cour, où ils furent reçus
avec une magnificence admirable. Le chevalier de Guise
n'osa se distinguer des autres et ne pas assister à cette
cérémonie ; mais il y fut si peu maître de sa tristesse
qu'il était aisé de la remarquer.

M. de Clèves ne trouva pas que Mlle de Chartres eût
changé de sentiment en changeant de nom. La qualité
de mari lui donna de plus grands privilèges ; mais elle
ne lui donna pas une autre place dans le cœur de sa
femme. Cela fit aussi que, pour être son mari, il ne
laissa pas d'être son amant[1], parce qu'il avait toujours
quelque chose à souhaiter au-delà de sa possession ; et,
quoiqu'elle vécût parfaitement bien avec lui, il n'était
pas entièrement heureux. Il conservait pour elle une passion violente et inquiète qui troublait sa joie ; la jalousie
n'avait point de part à ce trouble : jamais mari n'a été
si loin d'en prendre et jamais femme n'a été si loin d'en
donner. Elle était néanmoins exposée au milieu de la
Cour ; elle allait tous les jours chez les reines et chez

1. « Amant » veut dire simplement : qui aime. Le mot ne pren-
dra de coloration sexuelle qu'au XVIIIᵉ siècle. Ici, « amant » est opposé à « mari », comme cela arrivera plusieurs fois dans le cours
du livre, notamment lors de la scène de l'aveu, p. 166-168, ou lors
de la conversation finale, p. 243. L'opinion mondaine, toujours
portée à voir l'amour hors du mariage, distingue nettement ces
deux états.

Madame. Tout ce qu'il y avait d'hommes jeunes et galants la voyaient chez elle et chez le duc de Nevers,
son beau-frère, dont la maison était ouverte à tout le
monde ; mais elle avait un air qui inspirait un si grand
respect et qui paraissait si éloigné de la galanterie que
le maréchal de Saint-André, quoique audacieux et soutenu de la faveur du Roi, était touché de sa beauté, sans
oser le lui faire paraître que par des soins et des devoirs.
Plusieurs autres étaient dans le même état ; et Mme de
Chartres joignait à la sagesse de sa fille une conduite
si exacte pour toutes les bienséances qu'elle achevait
de la faire paraître une personne où l'on ne pouvait atteindre[1].

La duchesse de Lorraine, en travaillant à la paix, avait
aussi travaillé pour le mariage du duc de Lorraine, son
fils. Il avait été conclu avec Mme Claude de France, seconde fille du Roi. Les noces en furent résolues pour le
mois de février.

Cependant le duc de Nemours était demeuré à Bruxelles, entièrement rempli et occupé de ses desseins pour
l'Angleterre. Il en recevait ou y envoyait continuelle-
ment des courriers : ses espérances augmentaient tous
les jours, et enfin Lignerolles lui manda qu'il était
temps que sa présence vînt achever ce qui était si bien
commencé. Il reçut cette nouvelle avec toute la joie
que peut avoir un jeune homme ambitieux qui se voit
porté au trône par sa seule réputation. Son esprit s'était
insensiblement accoutumé à la grandeur de cette for-

---

1. « Où l'on ne pouvait atteindre » : que l'on ne pouvait espérer
toucher. La construction « atteindre à » est courante à l'époque
classique pour : « parvenir à », « réussir ».

tune et, au lieu qu'il l'avait rejetée d'abord comme une chose où il ne pouvait parvenir, les difficultés s'étaient effacées de son imagination et il ne voyait plus d'obstacles.

Il envoya en diligence à Paris donner tous les ordres nécessaires pour faire un équipage magnifique, afin de paraître en Angleterre avec un éclat proportionné au dessein qui l'y conduisait, et il se hâta lui-même de venir à la Cour pour assister au mariage de M. de Lorraine.

Il arriva la veille des fiançailles ; et, dès le même soir qu'il fut arrivé, il alla rendre compte au Roi de l'état de son dessein et recevoir ses ordres et ses conseils pour ce qu'il lui restait à faire. Il alla ensuite chez les reines. Mme de Clèves n'y était pas, de sorte qu'elle ne le vit point et ne sut pas même qu'il fût arrivé. Elle avait ouï parler de ce prince à tout le monde comme de ce qu'il y avait de mieux fait et de plus agréable à la Cour ; et surtout Mme la Dauphine le lui avait dépeint d'une sorte et lui en avait parlé tant de fois qu'elle lui avait donné de la curiosité, et même de l'impatience de le voir.

Elle passa tout le jour des fiançailles chez elle à se parer, pour se trouver le soir au bal et au festin royal qui se faisait au Louvre. Lorsqu'elle arriva, l'on admira sa beauté et sa parure ; le bal commença et, comme elle dansait avec M. de Guise, il se fit un assez grand bruit vers la porte de la salle, comme de quelqu'un qui entrait et à qui on faisait place. Mme de Clèves acheva de danser et, pendant qu'elle cherchait des yeux quelqu'un qu'elle avait dessein de prendre, le Roi lui cria de prendre celui qui arrivait. Elle se tourna et vit un homme qu'elle crut d'abord ne pouvoir être que M. de Nemours, qui passait par-dessus quelques sièges pour arriver où l'on dansait. Ce prince était fait d'une sorte qu'il était difficile de n'être pas surpris[1] de le voir quand on ne l'avait jamais vu, surtout ce soir-là, où le soin qu'il avait pris se parer augmentait encore l'air brillant qui était dans sa personne ; mais il était difficile aussi de voir Mme de Clèves pour la première fois sans avoir un grand étonnement.

M. de Nemours fut tellement surpris de sa beauté que, lorsqu'il fut proche d'elle, et qu'elle lui fit la révérence, il ne put s'empêcher de donner des marques de son admiration. Quand ils commencèrent à danser, il s'éleva dans la salle un murmure de louanges. Le Roi et les reines se souvinrent qu'ils ne s'étaient jamais vus, et trouvèrent quelque chose de singulier de les voir danser ensemble sans se connaître. Ils les appelèrent quand ils eurent fini sans leur donner le loisir de parler à personne et leur demandèrent s'ils n'avaient pas bien envie de savoir qui ils étaient, et s'ils ne s'en doutaient point.

— Pour moi, Madame, dit M. de Nemours, je n'ai pas d'incertitude ; mais comme Mme de Clèves n'a pas les mêmes raisons pour deviner qui je suis que celles que j'ai pour la reconnaître, je voudrais bien que Votre Majesté eût la bonté de lui apprendre mon nom.

— Je crois, dit Mme la Dauphine, qu'elle le sait aussi bien que vous savez le sien.

---

1. Le texte original porte « surprise ». Charnes, qui est le porte-parole de Mme de Lafayette dans ses *Conversations* sur la critique de Valincour (cf. ci-dessous, p. 268), corrige par « surpris », ce qui me paraît, en effet, meilleur.

— Je vous assure, Madame, reprit Mme de Clèves, qui paraissait un peu embarrassée, que je ne devine pas si bien que vous pensez.

— Vous devinez fort bien, répondit Mme la Dauphine ; et il y a même quelque chose d'obligeant pour M. de Nemours à ne vouloir pas avouer que vous le connaissez sans l'avoir jamais vu.

La Reine les interrompit pour faire continuer le bal ; M. de Nemours prit la Reine Dauphine. Cette princesse était d'une parfaite beauté et avait paru telle aux yeux de M. de Nemours avant qu'il allât en Flandre ; mais, de tout le soir, il ne put admirer que Mme de Clèves.

Le chevalier de Guise, qui l'adorait toujours, était à ses pieds, et ce qui se venait de passer lui avait donné une douleur sensible. Il le prit comme un présage que la fortune destinait M. de Nemours à être amoureux de Mme de Clèves ; et, soit qu'en effet il eût paru quelque trouble sur son visage, ou que la jalousie fît voir au chevalier de Guise au-delà de la vérité, il crut qu'elle avait été touchée de la vue de ce prince, et il ne put s'empêcher de lui dire que M. de Nemours était bien heureux de commencer à être connu d'elle par une aventure qui avait quelque chose de galant et d'extraordinaire.

Mme de Clèves revint chez elle, l'esprit si rempli de tout ce qui s'était passé au bal que, quoiqu'il fût fort tard, elle alla dans la chambre de sa mère pour lui en rendre compte ; et elle lui loua M. de Nemours avec un certain air qui donna à Mme de Chartres la même pensée qu'avait eue le chevalier de Guise.

Le lendemain, la cérémonie des noces se fit. Mme de

Clèves y vit le duc de Nemours avec une mine et une grâce si admirables qu'elle en fut encore plus surprise.

Les jours suivants, elle le vit chez la Reine Dauphine, elle le vit jouer à la paume avec le Roi, elle le vit courre[1] la bague, elle l'entendit parler ; mais elle le vit toujours surpasser de si loin tous les autres et se rendre tellement maître de la conversation dans tous les lieux où il était, par l'air de sa personne et par l'agrément de son esprit, qu'il fit, en peu de temps, une grande impression dans son cœur.

Il est vrai aussi que, comme M. de Nemours sentait pour elle une inclination violente, qui lui donnait cette douceur et cet enjouement qu'inspirent les premiers désirs de plaire, il était encore plus aimable qu'il n'avait accoutumé de l'être ; de sorte que, se voyant souvent, et se voyant l'un et l'autre ce qu'il y avait de plus parfait à la Cour, il était difficile qu'ils ne se plussent infiniment.

La duchesse de Valentinois était de toutes les parties de plaisir, et le Roi avait pour elle la même vivacité et les mêmes soins que dans les commencements de sa passion. Mme de Clèves, qui était dans cet âge où l'on ne croit pas qu'une femme puisse être aimée quand elle a passé vingt-cinq ans, regardait avec un extrême étonnement l'attachement que le Roi avait pour cette duchesse, qui était grand-mère, et qui venait de marier sa petite-fille. Elle en parlait souvent à Mme de Chartres :

— Est-il possible, Madame, lui disait-elle, qu'il y ait si longtemps que le Roi en soit amoureux ? Comment s'est-il pu attacher à une personne qui était beaucoup

---

1. Forme archaïque de « courir ».

plus âgée que lui, qui avait été maîtresse[1] de son père, et qui l'est encore de beaucoup d'autres, à ce que j'ai ouï dire ?

— Il est vrai, répondit-elle[2], que ce n'est ni le mérite, ni la fidélité de Mme de Valentinois qui a fait naître la passion du Roi, ni qui l'a conservée, et c'est aussi en quoi il n'est pas excusable ; car si cette femme avait eu de la jeunesse et de la beauté jointes à sa naissance, qu'elle eût eu le mérite de n'avoir jamais rien aimé, qu'elle eût aimé le Roi avec une fidélité exacte, qu'elle l'eût aimé par rapport à sa seule personne sans intérêt de grandeur, ni de fortune, et sans se servir de son pouvoir que pour des choses honnêtes ou agréables au Roi même, il faut avouer qu'on aurait eu de la peine à s'empêcher de louer ce prince du grand attachement qu'il a pour elle. Si je ne craignais, continua Mme de Chartres, que vous disiez de moi ce que l'on dit de toutes les femmes de mon âge, qu'elles aiment à conter les histoires de leur temps, je vous apprendrais le commencement de la passion du Roi pour cette duchesse, et plusieurs choses de la cour du feu Roi qui ont même beaucoup de rapport avec celles qui se passent encore présentement.

---

1. Même remarque que pour « amant ». « Maîtresse » a ici le sens où nous le prenons aujourd'hui. Mais ailleurs, par exemple p. 41 ou p. 81, le mot désigne plus généralement une femme avec qui on a une relation amoureuse.
2. Avec l'histoire de la duchesse de Valentinois commence la première des quatre digressions qui interrompent le récit. La question de savoir s'il ne s'agit là que d'un procédé hérité des romans précieux, comme le pense Valincour, ou si ces épisodes ont un rapport direct avec le sujet du roman divise encore aujourd'hui la critique.

— Bien loin de vous accuser, reprit Mme de Clèves, de redire les histoires passées, je me plains, Madame, que vous ne m'ayez pas instruite des présentes et que vous ne m'ayez point appris les divers intérêts et les diverses liaisons de la Cour. Je les ignore si entièrement que je croyais, il y a peu de jours, que M. le Connétable était fort bien avec la Reine.

— Vous aviez une opinion bien opposée à la vérité, répondit Mme de Chartres. La Reine hait M. le Connétable, et si elle a jamais quelque pouvoir, il ne s'en apercevra que trop. Elle sait qu'il a dit plusieurs fois au Roi que, de tous ses enfants, il n'y avait que les naturels qui lui ressemblassent.

— Je n'eusse jamais soupçonné cette haine, interrompit Mme de Clèves, après avoir vu le soin que la Reine avait d'écrire à M. le Connétable pendant sa prison, la joie qu'elle a témoignée à son retour, et comme elle l'appelle toujours mon compère, aussi bien que le Roi.

— Si vous jugez sur les apparences[1] en ce lieu-ci, répondit Mme de Chartres, vous serez souvent trompée : ce qui paraît n'est presque jamais la vérité.

Mais, pour revenir à Mme de Valentinois, vous savez qu'elle s'appelle Diane de Poitiers ; sa maison est très illustre ; elle vient des anciens ducs d'Aquitaine ; son aïeule était fille naturelle de Louis XI, et enfin il n'y a rien que de grand dans sa naissance. Saint-Vallier, son père, se trouva embarrassé dans l'affaire du connétable

---

1. Cette phrase souvent citée est une des clefs du roman : dans une société où chacun donne une représentation perpétuelle, le jeu consiste à surveiller sa propre « apparence », tout en essayant de percer celle des autres. Il n'y a de « vérité » que cachée.

de Bourbon, dont vous avez ouï parler. Il fut condamné
à avoir la tête tranchée et conduit sur l'échafaud. Sa
fille, dont la beauté était admirable, et qui avait déjà plu
au feu Roi, fit si bien (je ne sais par quels moyens)
qu'elle obtint la vie de son père. On lui porta sa grâce
comme il n'attendait que le coup de la mort ; mais la
peur l'avait tellement saisi qu'il n'avait plus de connaissance, et il mourut peu de jours après. Sa fille parut à
la Cour comme la maîtresse du Roi. Le voyage d'Italie
et la prison de ce prince interrompirent cette passion.
Lorsqu'il revint d'Espagne et que Mme la Régente alla
au-devant de lui à Bayonne, elle mena toutes ses filles,
parmi lesquelles était Mlle de Pisseleu, qui a été depuis
la duchesse d'Étampes. Le Roi en devint amoureux. Elle
était inférieure en naissance, en esprit et en beauté à
Mme de Valentinois, et elle n'avait au-dessus d'elle que
l'avantage de la grande jeunesse. Je lui ai ouï dire plusieurs fois qu'elle était née le jour que Diane de Poitiers
avait été mariée ; la haine le lui faisait dire, et non pas
la vérité : car je suis bien trompée si la duchesse de
Valentinois n'épousa M. de Brézé, grand sénéchal de
Normandie, dans le même temps que le Roi devint
amoureux de Mme d'Étampes. Jamais il n'y a eu une si
grande haine que l'a été celle de ces deux femmes. La
duchesse de Valentinois ne pouvait pardonner à
Mme d'Étampes de lui avoir ôté le titre de maîtresse du
Roi. Mme d'Étampes avait une jalousie violente contre
Mme de Valentinois parce que le Roi conservait un
commerce avec elle. Ce prince n'avait pas une fidélité
exacte pour ses maîtresses ; il y en avait toujours une
qui avait le titre et les honneurs ; mais les dames que

l'on appelait de la petite bande le partageaient tour à tour. La perte du Dauphin, son fils, qui mourut à Tournon, et que l'on crut empoisonné, lui donna une sensible affliction. Il n'avait pas la même tendresse, ni le même goût pour son second fils, qui règne présentement ; il ne lui trouvait pas assez de hardiesse, ni assez de vivacité. Il s'en plaignit un jour à Mme de Valentinois, et elle lui dit qu'elle voulait le faire devenir amoureux d'elle pour le rendre plus vif et plus agréable. Elle y réussit comme vous le voyez ; il y a plus de vingt ans que cette passion dure sans qu'elle ait été altérée ni par le temps, ni par les obstacles.

Le feu Roi s'y opposa d'abord, et soit qu'il eût encore assez d'amour pour Mme de Valentinois pour avoir de la jalousie, ou qu'il fût poussé par la duchesse d'Étampes, qui était au désespoir que M. le Dauphin fût attaché à son ennemie, il est certain qu'il vit cette passion avec une colère et un chagrin dont il donnait tous les jours des marques. Son fils ne craignit ni sa colère, ni sa haine, et rien ne put l'obliger à diminuer son attachement, ni à le cacher ; il fallut que le Roi s'accoutumât à le souffrir. Aussi cette opposition à ses volontés l'éloigna encore de lui et l'attacha davantage au duc d'Orléans, son troisième fils. C'était un prince bien fait, beau, plein de feu et d'ambition, d'une jeunesse fougueuse, qui avait besoin d'être modéré, mais qui eût fait aussi un prince d'une grande élévation si l'âge eût mûri son esprit.

Le rang d'aîné qu'avait le Dauphin, et la faveur du Roi qu'avait le duc d'Orléans, faisaient entre eux une sorte d'émulation qui allait jusqu'à la haine. Cette ému-

lation avait commencé dès leur enfance et s'était toujours conservée. Lorsque l'Empereur passa en France, il
donna une préférence entière au duc d'Orléans sur M. le
Dauphin, qui la ressentit si vivement que, comme cet
empereur était à Chantilly, il voulut obliger M. le Connétable à l'arrêter sans attendre le commandement du
Roi. M. le Connétable ne le voulut pas ; le Roi le blâma
dans la suite de n'avoir pas suivi le conseil de son fils ;
et lorsqu'il l'éloigna de la Cour, cette raison y eut beaucoup de part.

La division des deux frères donna la pensée à la duchesse d'Étampes de s'appuyer de M. le duc d'Orléans
pour la soutenir auprès du Roi contre Mme de Valentinois. Elle y réussit : ce prince, sans être amoureux
d'elle, n'entra guère moins dans ses intérêts que le Dauphin était dans ceux de Mme de Valentinois. Cela fit
deux cabales dans la Cour, telles que vous pouvez vous
les imaginer ; mais ces intrigues ne se bornèrent pas seulement à des démêlés de femmes.

L'Empereur, qui avait conservé de l'amitié pour le
duc d'Orléans, avait offert plusieurs fois de lui remettre
le duché de Milan. Dans les propositions qui se firent
depuis pour la paix, il faisait espérer de lui donner les
dix-sept provinces et de lui faire épouser sa fille. M. le
Dauphin ne souhaitait ni la paix, ni ce mariage. Il se
servit de M. le Connétable, qu'il a toujours aimé, pour
faire voir au Roi de quelle importance il était de ne pas
donner à son successeur un frère aussi puissant que le
serait un duc d'Orléans avec l'alliance de l'Empereur et
les dix-sept provinces. M. le Connétable entra d'autant
mieux dans les sentiments de M. le Dauphin qu'il s'op-

posait par là à ceux de Mme d'Étampes, qui était son ennemie déclarée, et qui souhaitait ardemment l'élévation de M. le duc d'Orléans.

M. le Dauphin commandait alors l'armée du Roi en Champagne et avait réduit celle de l'Empereur en une telle extrémité qu'elle eût péri entièrement si la duchesse d'Étampes, craignant que de trop grands avantages ne nous fissent refuser la paix et l'alliance de l'Empereur pour M. le duc d'Orléans, n'eût fait secrètement avertir les ennemis de surprendre Épernay et Château-Thierry qui étaient pleins de vivres. Ils le firent et sauvèrent par ce moyen toute leur armée.

Cette duchesse ne jouit pas longtemps du succès de sa trahison. Peu après, M. le duc d'Orléans mourut, à Farmoutier, d'une espèce de maladie contagieuse. Il aimait une des plus belles femmes de la Cour et en était aimé. Je ne vous la nommerai pas, parce qu'elle a vécu depuis avec tant de sagesse et qu'elle a même caché avec tant de soin la passion qu'elle avait pour ce prince qu'elle a mérité que l'on conserve sa réputation. Le hasard fit qu'elle reçut la nouvelle de la mort de son mari le même jour qu'elle apprit celle de M. d'Orléans ; de sorte qu'elle eut ce prétexte pour cacher sa véritable affliction, sans avoir la peine de se contraindre.

Le Roi ne survécut[1] guère le prince son fils ; il mourut deux ans après. Il recommanda à M. le Dauphin de se servir du cardinal de Tournon et de l'amiral d'Annebauld, et ne parla point de M. le Connétable, qui était pour lors relégué à Chantilly. Ce fut néanmoins la pre-

---

1. « Survivre » était, à l'origine, un verbe transitif.

mière chose que fit le Roi son fils, de le rappeler, et de lui donner le gouvernement des affaires.

Mme d'Étampes fut chassée et reçut tous les mauvais traitements qu'elle pouvait attendre d'une ennemie toute-puissante ; la duchesse de Valentinois se vengea alors pleinement, et de cette duchesse, et de tous ceux qui lui avaient déplu. Son pouvoir parut plus absolu sur l'esprit du Roi qu'il ne paraissait encore pendant qu'il était Dauphin. Depuis douze ans que ce prince règne, elle est maîtresse absolue de toutes choses ; elle dispose des charges et des affaires ; elle a fait chasser le cardinal de Tournon, le chancelier Olivier, et Villeroy. Ceux qui ont voulu éclairer le Roi sur sa conduite ont péri dans cette entreprise. Le comte de Taix, grand maître de l'artillerie, qui ne l'aimait pas, ne put s'empêcher de parler de ses galanteries et surtout de celle du comte de Brissac, dont le Roi avait déjà eu beaucoup de jalousie ; néanmoins elle fit si bien que le comte de Taix fut disgracié ; on lui ôta sa charge ; et, ce qui est presque incroyable, elle la fit donner au comte de Brissac et l'a fait ensuite maréchal de France. La jalousie du Roi augmenta néanmoins d'une telle sorte qu'il ne put souffrir que ce maréchal demeurât à la Cour ; mais la jalousie, qui est aigre et violente en tous les autres, est douce et modérée en lui par l'extrême respect qu'il a pour sa maîtresse ; en sorte qu'il n'osa éloigner son rival que sur le prétexte de lui donner le gouvernement de Piémont. Il y a passé plusieurs années ; il revint, l'hiver dernier, sur le prétexte de demander des troupes et d'autres choses nécessaires pour l'armée qu'il commande. Le désir de revoir Mme de Valentinois, et la crainte d'en être

oublié, avaient peut-être beaucoup de part à ce voyage.
Le Roi le reçut avec une grande froideur. MM. de Guise
qui ne l'aiment pas, mais qui n'osent le témoigner à
cause de Mme de Valentinois, se servirent de M. le Vidame, qui est son ennemi déclaré, pour empêcher qu'il
n'obtînt aucune des choses qu'il était venu demander. Il
n'était pas difficile de lui nuire : le Roi le haïssait, et sa
présence lui donnait de l'inquiétude ; de sorte qu'il fut
contraint de s'en retourner sans remporter aucun fruit de
son voyage, que d'avoir peut-être rallumé dans le cœur
de Mme de Valentinois des sentiments que l'absence
commençait d'éteindre. Le Roi a bien eu d'autres sujets
de jalousie ; mais ou il ne les a pas connus, ou il n'a
osé s'en plaindre.

   Je ne sais, ma fille, ajouta Mme de Chartres, si vous
ne trouverez point que je vous ai plus appris de choses
que vous n'aviez envie d'en savoir.

   — Je suis très éloignée, Madame, de faire cette
plainte, répondit Mme de Clèves ; et, sans la peur de
vous importuner, je vous demanderais encore plusieurs
circonstances que j'ignore.

   La passion de M. de Nemours pour Mme de Clèves
fut d'abord si violente qu'elle lui ôta le goût et même
le souvenir de toutes les personnes qu'il avait aimées et
avec qui il avait conservé des commerces[1] pendant son
absence. Il ne prit pas seulement le soin de chercher des
prétextes pour rompre avec elles ; il ne put se donner la
patience d'écouter leurs plaintes et de répondre à leurs

   1. « Commerce » : relation, souvent, mais pas toujours, amoureuse.

reproches. Mme la Dauphine, pour qui il avait eu des sentiments assez passionnés, ne put tenir dans son cœur contre Mme de Clèves. Son impatience pour le voyage d'Angleterre commença même à se ralentir et il ne pressa plus avec tant d'ardeur les choses qui étaient nécessaires pour son départ. Il allait souvent chez la Reine Dauphine, parce que Mme de Clèves y allait souvent, et il n'était pas fâché de laisser imaginer ce que l'on avait cru de ses sentiments pour cette reine. Mme de Clèves lui paraissait d'un si grand prix qu'il se résolut de manquer plutôt à lui donner des marques de sa passion que de hasarder de la faire connaître au public. Il n'en parla pas même au vidame de Chartres, qui était son ami intime, et pour qui il n'avait rien de caché. Il prit une conduite si sage et s'observa avec tant de soin que personne ne le soupçonna d'être amoureux de Mme de Clèves, que le chevalier de Guise ; et elle aurait eu peine à s'en apercevoir elle-même, si l'inclination qu'elle avait pour lui ne lui eût donné une attention particulière pour ses actions, qui ne lui permît pas d'en douter.

Elle ne se trouva pas la même disposition à dire à sa mère ce qu'elle pensait des sentiments de ce prince qu'elle avait eue à lui parler de ses autres amants ; sans avoir un dessein formé de lui cacher, elle ne lui en parla point. Mais Mme de Chartres ne le voyait que trop, aussi bien que le penchant que sa fille avait pour lui. Cette connaissance lui donna une douleur sensible ; elle jugeait bien le péril où était cette jeune personne, d'être aimée d'un homme fait comme M. de Nemours pour qui elle avait de l'inclination. Elle fut entièrement confirmée dans les soupçons qu'elle avait de cette inclination par une chose qui arriva peu de jours après.

Le maréchal de Saint-André, qui cherchait toutes les occasions de faire voir sa magnificence, supplia le Roi, sur le prétexte de lui montrer sa maison, qui ne venait que d'être achevée, de lui vouloir faire l'honneur d'y aller souper avec les reines. Ce maréchal était bien aise aussi de faire paraître, aux yeux de Mme de Clèves, cette dépense éclatante qui allait jusqu'à la profusion.

Quelques jours avant celui qui avait été choisi pour ce souper, le Roi Dauphin, dont la santé était assez mauvaise, s'était trouvé mal, et n'avait vu personne. La Reine, sa femme, avait passé tout le jour auprès de lui. Sur le soir, comme il se portait mieux, il fit entrer toutes les personnes de qualité qui étaient dans son antichambre. La Reine Dauphine s'en alla chez elle ; elle y trouva Mme de Clèves et quelques autres dames qui étaient les plus[1] dans sa familiarité.

Comme il était déjà assez tard, et qu'elle n'était point habillée, elle n'alla pas chez la Reine ; elle fit dire qu'on ne la voyait point, et fit apporter ses pierreries afin d'en choisir pour le bal du maréchal de Saint-André et pour en donner à Mme de Clèves, à qui elle en avait promis. Comme elles étaient dans cette occupation, le prince de Condé arriva. Sa qualité lui rendait toutes les entrées libres. La Reine Dauphine lui dit qu'il venait sans doute de chez le Roi son mari et lui demanda ce que l'on y faisait.

— L'on dispute contre M. de Nemours, Madame, répondit-il ; et il défend avec tant de chaleur la cause qu'il

---

1. Toutes les éditions portent « les plus ». On peut se demander s'il ne s'agit pas d'une faute d'impression pour « le plus ». C'est ce que pense Valincour.

soutient qu'il faut que ce soit la sienne. Je crois qu'il a quelque maîtresse qui lui donne de l'inquiétude quand elle est au bal, tant il trouve que c'est une chose fâcheuse, pour un amant, que d'y voir la personne qu'il aime.

— Comment ! reprit Mme la Dauphine, M. de Nemours ne veut pas que sa maîtresse aille au bal ? J'avais bien cru que les maris pouvaient souhaiter que leurs femmes n'y allassent pas ; mais, pour les amants, je n'avais jamais pensé qu'ils pussent être de ce sentiment.

— M. de Nemours trouve, répliqua le prince de Condé, que le bal est ce qu'il y a de plus insupportable pour les amants, soit qu'ils soient aimés ou qu'ils ne le soient pas. Il dit que, s'ils sont aimés, ils ont le chagrin de l'être moins pendant plusieurs jours ; qu'il n'y a point de femme que le soin de sa parure n'empêche de songer à son amant ; qu'elles en sont entièrement occupées ; que ce soin de se parer est pour tout le monde aussi bien que pour celui qu'elles aiment ; que, lorsqu'elles sont au bal, elles veulent plaire à tous ceux qui les regardent ; que, quand elles sont contentes de leur beauté, elles en ont une joie dont leur amant ne fait pas la plus grande partie. Il dit aussi que, quand on n'est point aimé, on souffre encore davantage de voir sa maîtresse dans une assemblée ; que, plus elle est admirée du public, plus on se trouve malheureux de n'en être point aimé ; que l'on craint toujours que sa beauté ne fasse naître quelque amour plus heureux que le sien. Enfin il trouve qu'il n'y a point de souffrance pareille à celle de voir sa maîtresse au bal, si ce n'est de savoir qu'elle y est et de n'y être pas.

Mme de Clèves ne faisait pas semblant d'entendre ce que disait le prince de Condé ; mais elle l'écoutait avec attention. Elle jugeait aisément quelle part elle avait à l'opinion que soutenait M. de Nemours, et surtout à ce qu'il disait du chagrin de n'être pas au bal où était sa maîtresse, parce qu'il ne devait pas être à celui du maréchal de Saint-André, et que le Roi l'envoyait au-devant du duc de Ferrare.

La Reine Dauphine riait avec le prince de Condé et n'approuvait pas l'opinion de M. de Nemours.

— Il n'y a qu'une occasion, Madame, lui dit ce prince, où M. de Nemours consente que sa maîtresse aille au bal, c'est alors que c'est lui qui le donne ; et il dit que, l'année passée qu'il en donna un à Votre Majesté, il trouva que sa maîtresse lui faisait une faveur d'y venir, quoiqu'elle ne semblât que vous y suivre ; que c'est toujours faire une grâce à un amant que d'aller prendre sa part d'un plaisir qu'il donne ; que c'est aussi une chose agréable pour l'amant, que sa maîtresse le voie le maître d'un lieu où est toute la Cour, et qu'elle le voie se bien acquitter d'en faire les honneurs.

— M. de Nemours avait raison, dit la Reine Dauphine en souriant, d'approuver que sa maîtresse allât au bal. Il y avait alors un si grand nombre de femmes à qui il donnait cette qualité que, si elles n'y fussent point venues, il y aurait eu peu de monde.

Sitôt que le prince de Condé avait commencé à conter les sentiments de M. de Nemours sur le bal, Mme de Clèves avait senti une grande envie de ne point aller à celui du maréchal de Saint-André. Elle entra aisément dans l'opinion qu'il ne fallait pas aller chez un homme

dont on était aimée, et elle fut bien aise d'avoir une raison de sévérité pour faire une chose qui était une faveur
pour M. de Nemours ; elle emporta néanmoins la parure
que lui avait donnée la Reine Dauphine ; mais, le soir,
lorsqu'elle la montra à sa mère, elle lui dit qu'elle
n'avait pas dessein de s'en servir, que le maréchal de
Saint-André prenait tant de soin de faire voir qu'il était
attaché à elle qu'elle ne doutait point qu'il ne voulût
aussi faire croire qu'elle aurait part au divertissement
qu'il devait donner au Roi et que, sous prétexte de faire
l'honneur de chez lui, il lui rendrait des soins dont peut-
être elle serait embarrassée.

Mme de Chartres combattit quelque temps l'opinion
de sa fille, comme la trouvant particulière[1] ; mais,
voyant qu'elle s'y opiniâtrait, elle s'y rendit, et lui dit
qu'il fallait donc qu'elle fît la malade pour avoir un prétexte de n'y pas aller, parce que les raisons qui l'en em-
pêchaient ne seraient pas approuvées et qu'il fallait
même empêcher qu'on ne les soupçonnât. Mme de Clèves consentit volontiers à passer quelques jours chez elle
pour ne point aller dans un lieu où M. de Nemours ne
devait pas être ; et il partit sans avoir le plaisir de savoir
qu'elle n'irait pas.

Il revint le lendemain du bal, il sut qu'elle ne s'y était
pas trouvée ; mais comme il ne savait pas que l'on eût
redit devant elle la conversation de chez le Roi Dauphin,
il était bien éloigné de croire qu'il fût assez heureux
pour l'avoir empêchée d'y aller.

Le lendemain, comme il était chez la Reine et qu'il

1. Étrange, peu habituelle.

parlait à Mme la Dauphine, Mme de Chartres et Mme de Clèves y vinrent et s'approchèrent de cette princesse. Mme de Clèves était un peu négligée, comme une personne qui s'était trouvée mal ; mais son visage ne répondait pas à son habillement.

— Vous voilà si belle, lui dit Mme la Dauphine, que je ne saurais croire que vous ayez été malade. Je pense que M. le prince de Condé, en vous contant l'avis de M. de Nemours sur le bal, vous a persuadée que vous feriez une faveur au maréchal de Saint-André d'aller chez lui et que c'est ce qui vous a empêchée d'y venir.

Mme de Clèves rougit de ce que Mme la Dauphine devinait si juste et de ce qu'elle disait devant M. de Nemours ce qu'elle avait deviné.

Mme de Chartres vit dans ce moment pourquoi sa fille n'avait pas voulu aller au bal ; et, pour empêcher que M. de Nemours ne le jugeât aussi bien qu'elle, elle prit la parole avec un air qui semblait être appuyé sur la vérité.

— Je vous assure, Madame, dit-elle à Mme la Dauphine, que Votre Majesté fait plus d'honneur à ma fille qu'elle n'en mérite. Elle était véritablement malade ; mais je crois que, si je ne l'en eusse empêchée, elle n'eût pas laissé de vous suivre et de se montrer aussi changée qu'elle était, pour avoir le plaisir de voir tout ce qu'il y a eu d'extraordinaire au divertissement d'hier au soir.

Mme la Dauphine crut ce que disait Mme de Chartres, M. de Nemours fut bien fâché d'y trouver de l'apparence ; néanmoins la rougeur de Mme de Clèves lui fit soupçonner que ce que Mme la Dauphine avait dit

n'était pas entièrement éloigné de la vérité. Mme de
Clèves avait d'abord été fâchée que M. de Nemours eût
eu lieu de croire que c'était lui qui l'avait empêchée
d'aller chez le maréchal de Saint-André ; mais ensuite
elle sentit quelque espèce de chagrin que sa mère lui en
eût entièrement ôté l'opinion.

Quoique l'assemblée de Cercamp eût été rompue, les
négociations pour la paix avaient toujours continué et
les choses s'y disposèrent d'une telle sorte que, sur la
fin de février, on se rassembla à Cateau-Cambrésis. Les
mêmes députés y retournèrent ; et l'absence du maréchal
de Saint-André défit M. de Nemours du rival qui lui
était plus redoutable, tant par l'attention qu'il avait à observer ceux qui approchaient Mme de Clèves que par le
progrès qu'il pouvait faire auprès d'elle.

Mme de Chartres n'avait pas voulu laisser voir à sa
fille qu'elle connaissait ses sentiments pour ce prince,
de peur de se rendre suspecte sur les choses qu'elle avait
envie de lui dire. Elle se mit un jour à parler de lui ;
elle lui en dit du bien et y mêla beaucoup de louanges
empoisonnées sur la sagesse qu'il avait d'être incapable
de devenir amoureux et sur ce qu'il ne se faisait qu'un
plaisir et non pas un attachement sérieux du commerce
des femmes. Ce n'est pas, ajouta-t-elle, que l'on ne l'ait
soupçonné d'avoir une grande passion pour la Reine
Dauphine ; je vois même qu'il y va très souvent, et je
vous conseille d'éviter, autant que vous pourrez, de lui
parler, et surtout en particulier, parce que, Mme la Dauphine vous traitant comme elle fait, on dirait bientôt que
vous êtes leur confidente, et vous savez combien cette
réputation est désagréable. Je suis d'avis, si ce bruit con-

tinue, que vous alliez un peu moins chez Mme la Dauphine, afin de ne vous pas trouver mêlée dans des aventures de galanterie.

Mme de Clèves n'avait jamais ouï parler de M. de Nemours et de Mme la Dauphine ; elle fut si surprise de ce que lui dit sa mère, et elle crut si bien voir combien elle s'était trompée dans tout ce qu'elle avait pensé des sentiments de ce prince, qu'elle en changea de visage. Mme de Chartres s'en aperçut : il vint du monde dans ce moment, Mme de Clèves s'en alla chez elle et s'enferma dans son cabinet[1].

L'on ne peut exprimer la douleur qu'elle sentit de connaître, par ce que lui venait de dire sa mère, l'intérêt qu'elle prenait à M. de Nemours : elle n'avait encore osé se l'avouer à elle-même. Elle vit alors que les sentiments qu'elle avait pour lui étaient ceux que M. de Clèves lui avait tant demandés ; elle trouva combien il était honteux de les avoir pour un autre que pour un mari qui les méritait. Elle se sentit blessée et embarrassée de la crainte que M. de Nemours ne la voulût faire servir de prétexte à Mme la Dauphine et cette pensée la détermina à conter à Mme de Chartres ce qu'elle ne lui avait point encore dit.

Elle alla le lendemain matin dans sa chambre pour exécuter ce qu'elle avait résolu ; mais elle trouva que Mme de Chartres avait un peu de fièvre, de sorte qu'elle ne voulut pas lui parler. Ce mal paraissait néanmoins si peu de chose que Mme de Clèves ne laissa pas d'aller l'après-dînée chez Mme la Dauphine : elle était dans son

---

1. « Cabinet » : lieu où on se retire pour réfléchir ou travailler.

cabinet avec deux ou trois dames qui étaient le plus
avant dans sa familiarité.

— Nous parlions de M. de Nemours, lui dit cette
reine en la voyant, et nous admirions combien il est
changé depuis son retour de Bruxelles. Devant que[1] d'y
aller, il avait un nombre infini de maîtresses, et c'était
même un défaut en lui ; car il ménageait également
celles qui avaient du mérite et celles qui n'en avaient
pas. Depuis qu'il est revenu, il ne connaît ni les unes ni
les autres ; il n'y a jamais eu un si grand changement ;
je trouve même qu'il y en a dans son humeur, et qu'il
est moins gai que de coutume.

Mme de Clèves ne répondit rien ; et elle pensait avec
honte qu'elle aurait pris tout ce que l'on disait du changement de ce prince pour des marques de sa passion si
elle n'avait point été détrompée. Elle se sentait quelque
aigreur contre Mme la Dauphine de lui voir chercher des
raisons et s'étonner d'une chose dont apparemment elle
savait mieux la vérité que personne. Elle ne put s'empêcher de lui en témoigner quelque chose ; et, comme les
autres dames s'éloignèrent, elle s'approcha d'elle et lui
dit tout bas :

— Est-ce aussi pour moi, Madame, que vous venez
de parler, et voudriez-vous me cacher que vous fussiez
celle qui a fait changer de conduite à M. de Nemours ?

— Vous êtes injuste, lui dit Mme la Dauphine, vous
savez que je n'ai rien de caché pour vous. Il est vrai que
M. de Nemours, devant que d'aller à Bruxelles, a eu, je

1. « Devant que » : avant que. Et plus loin, p. 100 : « devant » :
avant.

crois, intention de me laisser entendre qu'il ne me haïssait pas ; mais, depuis qu'il est revenu, il ne m'a pas même paru qu'il se souvînt des choses qu'il avait faites, et j'avoue que j'ai de la curiosité de savoir ce qui l'a fait changer. Il sera bien difficile que je ne le démêle, ajouta-t-elle ; le vidame de Chartres, qui est son ami intime, est amoureux d'une personne sur qui j'ai quelque pouvoir et je saurai par ce moyen ce qui a fait ce changement.

Mme la Dauphine parla d'un air qui persuada Mme de Clèves, et elle se trouva, malgré elle, dans un état plus calme et plus doux que celui où elle était auparavant.

Lorsqu'elle revint chez sa mère, elle sut qu'elle était beaucoup plus mal qu'elle ne l'avait laissée. La fièvre lui avait redoublé et, les jours suivants, elle augmenta de telle sorte qu'il parut que ce serait une maladie considérable. Mme de Clèves était dans une affliction extrême, elle ne sortait point de la chambre de sa mère ; M. de Clèves y passait aussi presque tous les jours, et par l'intérêt qu'il prenait à Mme de Chartres, et pour empêcher sa femme de s'abandonner à la tristesse, mais pour avoir aussi le plaisir de la voir ; sa passion n'était point diminuée.

M. de Nemours, qui avait toujours eu beaucoup d'amitié pour lui, n'avait pas cessé de lui en témoigner depuis son retour de Bruxelles. Pendant la maladie de Mme de Chartres, ce prince trouva le moyen de voir plusieurs fois Mme de Clèves en faisant semblant de chercher son mari ou de le venir prendre pour le mener promener. Il le cherchait même à des heures où il savait bien qu'il n'y était pas et, sous le prétexte de l'attendre, il demeurait dans l'antichambre de Mme de Chartres où il y avait toujours plusieurs personnes de qualité. Mme de Clèves y venait souvent et, pour être affligée, elle n'en paraissait pas moins belle à M. de Nemours. Il lui faisait voir combien il prenait d'intérêt à son affliction et il lui en parlait avec un air si doux et si soumis qu'il la persuadait aisément que ce n'était pas de Mme la Dauphine dont il était amoureux.

Elle ne pouvait s'empêcher d'être troublée de sa vue, et d'avoir pourtant du plaisir à le voir ; mais quand elle ne le voyait plus et qu'elle pensait que ce charme qu'elle trouvait dans sa vue était le commencement des passions, il s'en fallait peu qu'elle ne crût le haïr par la douleur que lui donnait cette pensée.

Mme de Chartres empira si considérablement que l'on commença à désespérer de sa vie ; elle reçut ce que les médecins lui dirent du péril où elle était avec un courage digne de sa vertu et de sa piété. Après qu'ils furent sortis, elle fit retirer tout le monde et appeler Mme de Clèves.

— Il faut nous quitter, ma fille, lui dit-elle, en lui tendant la main ; le péril où je vous laisse et le besoin que vous avez de moi augmentent le déplaisir que j'ai de vous quitter. Vous avez de l'inclination pour M. de Nemours ; je ne vous demande point de me l'avouer : je ne suis plus en état de me servir de votre sincérité pour vous conduire. Il y a déjà longtemps que je me suis aperçue de cette inclination ; mais je ne vous en ai pas voulu parler d'abord, de peur de vous en faire apercevoir vous-même. Vous ne la connaissez que trop présentement ; vous êtes sur le bord du précipice : il faut de grands efforts et de grandes violences pour vous retenir. Songez ce que vous devez à votre mari ; songez ce que vous vous devez à vous-même, et pensez que vous allez perdre cette réputation que vous vous êtes acquise et que je vous ai tant souhaitée. Ayez de la force et du courage, ma fille, retirez-vous de la Cour, obligez votre mari de vous emmener ; ne craignez point de prendre des partis trop rudes et trop difficiles, quelque affreux qu'ils vous paraissent d'abord : ils seront plus doux dans les suites que les malheurs d'une galanterie. Si d'autres raisons que celles de la vertu et de votre devoir vous pouvaient obliger à ce que je souhaite, je vous dirais que, si quelque chose était capable de troubler le bonheur que j'espère en sortant de ce monde, ce serait de vous voir tomber comme les autres femmes ; mais, si ce malheur vous doit arriver, je reçois la mort avec joie, pour n'en être pas le témoin.

Mme de Clèves fondait en larmes sur la main de sa mère, qu'elle tenait serrée entre les siennes, et Mme de Chartres se sentant touchée elle-même :

— Adieu, ma fille, lui dit-elle, finissons une conversation qui nous attendrit trop l'une et l'autre, et souvenez-vous, si vous pouvez, de tout ce que je viens de vous dire.

Elle se tourna de l'autre côté en achevant ces paroles et commanda à sa fille d'appeler ses femmes, sans vouloir l'écouter, ni parler davantage. Mme de Clèves sortit de la chambre de sa mère en l'état que l'on peut s'imaginer, et Mme de Chartres ne songea plus qu'à se préparer à la mort. Elle vécut encore deux jours, pendant lesquels elle ne voulut plus revoir sa fille, qui était la seule chose à quoi elle se sentait attachée.

Mme de Clèves était dans une affliction extrême ; son mari ne la quittait point et, sitôt que Mme de Chartres fut expirée, il l'emmena à la campagne, pour l'éloigner d'un lieu qui ne faisait qu'aigrir sa douleur. On n'en a jamais vu de pareille ; quoique la tendresse et la reconnaissance y eussent la plus grande part, le besoin qu'elle sentait qu'elle avait de sa mère, pour se défendre contre M. de Nemours, ne laissait pas d'y en avoir beaucoup. Elle se trouvait malheureuse d'être abandonnée à elle-même, dans un temps où elle était si peu maîtresse de ses sentiments et où elle eût tant souhaité d'avoir quelqu'un qui pût la plaindre et lui donner de la force. La manière dont M. de Clèves en usait pour elle, lui faisait souhaiter plus fortement que jamais de ne manquer à rien de ce qu'elle lui devait. Elle lui témoignait aussi plus d'amitié et plus de tendresse qu'elle n'avait encore fait ; elle ne voulait point qu'il la quittât, et il lui semblait qu'à force de s'attacher à lui, il la défendrait contre M. de Nemours.

Ce prince vint voir M. de Clèves à la campagne. Il fit ce qu'il put pour rendre aussi une visite à Mme de Clèves ; mais elle ne le voulut point recevoir et, sentant bien qu'elle ne pouvait s'empêcher de le trouver aimable, elle avait fait une forte résolution de s'empêcher de le voir et d'en éviter toutes les occasions qui dépendraient d'elle.

M. de Clèves vint à Paris pour faire sa cour[1] et promit

1. « Faire sa cour » : rendre ses devoirs à une ou des personnes supérieures, et en particulier au Roi et à la famille royale.

à sa femme de s'en retourner le lendemain ; il ne revint néanmoins que le jour d'après.

— Je vous attendis tout hier, lui dit Mme de Clèves, lorsqu'il arriva ; et je vous dois faire des reproches de n'être pas venu comme vous me l'aviez promis. Vous savez que si je pouvais sentir une nouvelle affliction en l'état où je suis, ce serait la mort de Mme de Tournon, que j'ai apprise ce matin. J'en aurais été touchée quand je ne l'aurais point connue ; c'est toujours une chose digne de pitié qu'une femme jeune et belle comme celle-là soit morte en deux jours ; mais, de plus, c'était une des personnes du monde qui me plaisait davantage et qui paraissait avoir autant de sagesse que de mérite.

— Je fus très fâché de ne pas revenir hier, répondit M. de Clèves ; mais j'étais si nécessaire à la consolation d'un malheureux qu'il m'était impossible de le quitter. Pour Mme de Tournon, je ne vous conseille pas d'en être affligée, si vous la regrettez comme une femme pleine de sagesse et digne de votre estime.

— Vous m'étonnez, reprit Mme de Clèves, et je vous ai ouï dire plusieurs fois qu'il n'y avait point de femme à la Cour que vous estimassiez davantage.

— Il est vrai, répondit-il, mais les femmes sont incompréhensibles et, quand je les vois toutes, je me trouve si heureux de vous avoir que je ne saurais assez admirer mon bonheur.

— Vous m'estimez plus que je ne vaux, répliqua Mme de Clèves en soupirant, et il n'est pas encore temps de me trouver digne de vous. Apprenez-moi, je vous en supplie, ce qui vous a détrompé de Mme de Tournon.

— Il y a longtemps que je le suis, répliqua-t-il, et que je sais qu'elle aimait le comte de Sancerre, à qui elle donnait des espérances de l'épouser.

— Je ne saurais croire, interrompit Mme de Clèves, que Mme de Tournon, après cet éloignement si extraordinaire qu'elle a témoigné pour le mariage depuis qu'elle est veuve, et après les déclarations publiques qu'elle a faites de ne se remarier jamais, ait donné des espérances à Sancerre.

— Si elle n'en eût donné qu'à lui, répliqua M. de Clèves, il ne faudrait pas s'étonner ; mais ce qu'il y a de surprenant, c'est qu'elle en donnait aussi à Estouteville dans le même temps, et je vais vous apprendre toute cette histoire [1].

---

1. L'histoire de Mme de Tournon, qui va suivre, est la deuxième grande digression du roman. Valincour la juge aussi inutile que la précédente. Charnes, lui, les justifie toutes.

DEUXIÈME PARTIE

Vous savez l'amitié qu'il y a entre Sancerre et moi ; néanmoins il devint amoureux de Mme de Tournon, il y a environ deux ans, et me le cacha avec beaucoup de soin, aussi bien qu'à tout le reste du monde. J'étais bien éloigné de le soupçonner. Mme de Tournon paraissait encore inconsolable de la mort de son mari et vivait dans une retraite austère. La sœur de Sancerre était quasi la seule personne qu'elle vît, et c'était chez elle qu'il en était devenu amoureux.

Un soir qu'il devait y avoir une comédie au Louvre et que l'on n'attendait plus que le Roi et Mme de Valentinois pour commencer, l'on vint dire qu'elle s'était trouvée mal, et que le Roi ne viendrait pas. On jugea aisément que le mal de cette duchesse était quelque démêlé avec le Roi. Nous savions les jalousies qu'il avait eues du maréchal de Brissac pendant qu'il avait été à la Cour ; mais il était retourné en Piémont depuis quelques jours, et nous ne pouvions imaginer le sujet de cette brouillerie.

Comme j'en parlais avec Sancerre, M. d'Anville arriva dans la salle et me dit tout bas que le Roi était dans

une affliction et dans une colère qui faisaient pitié ;
qu'en un raccommodement, qui s'était fait entre lui et
Mme de Valentinois, il y avait quelques jours, sur des
démêlés qu'ils avaient eus pour le maréchal de Brissac,
le Roi lui avait donné une bague et l'avait priée de la
porter ; que, pendant qu'elle s'habillait pour venir à la
comédie, il avait remarqué qu'elle n'avait point cette
bague, et lui en avait demandé la raison ; qu'elle avait
paru étonnée de ne la pas avoir, qu'elle l'avait deman-
dée à ses femmes, lesquelles, par malheur, ou faute
d'être bien instruites, avaient répondu qu'il y avait quatre ou cinq jours qu'elles ne l'avaient vue.

Ce temps est précisément celui du départ du maréchal
de Brissac, continua M. d'Anville ; le Roi n'a point
douté qu'elle ne lui ait donné la bague en lui disant
adieu. Cette pensée a réveillé si vivement toute cette
jalousie, qui n'était pas encore bien éteinte, qu'il s'est
emporté contre son ordinaire et lui a fait mille reproches. Il vient de rentrer chez lui très affligé ; mais je ne
sais s'il l'est davantage de l'opinion que Mme de Valentinois a sacrifié sa bague que de la crainte de lui avoir
déplu par sa colère.

Sitôt que M. d'Anville eut achevé de me conter cette
nouvelle, je me rapprochai de Sancerre pour la lui apprendre ; je la lui dis comme un secret que l'on venait
de me confier et dont je lui défendais de parler.

Le lendemain matin, j'allai d'assez bonne heure chez
ma belle-sœur ; je trouvai Mme de Tournon au chevet
de son lit. Elle n'aimait pas Mme de Valentinois, et elle
savait bien que ma belle-sœur n'avait pas sujet de s'en
louer. Sancerre avait été chez elle au sortir de la comé-

die. Il lui avait appris la brouillerie du Roi avec cette duchesse, et Mme de Tournon était venue la conter à ma belle-sœur, sans savoir ou sans faire réflexion que c'était moi qui l'avais apprise à son amant.

Sitôt que je m'approchai de ma belle-sœur, elle dit à Mme de Tournon que l'on pouvait me confier ce qu'elle venait de lui dire et, sans attendre la permission de Mme de Tournon, elle me conta mot pour mot tout ce que j'avais dit à Sancerre le soir précédent. Vous pouvez juger comme j'en fus étonné. Je regardai Mme de Tournon, elle me parut embarrassée. Son embarras me donna du soupçon ; je n'avais dit la chose qu'à Sancerre, il m'avait quitté au sortir de la comédie sans m'en dire la raison ; je me souvins de lui avoir ouï extrêmement louer Mme de Tournon. Toutes ces choses m'ouvrirent les yeux, et je n'eus pas de peine à démêler qu'il avait une galanterie avec elle et qu'il l'avait vue depuis qu'il m'avait quitté.

Je fus si piqué de voir qu'il me cachait cette aventure que je dis plusieurs choses qui firent connaître à Mme de Tournon l'imprudence qu'elle avait faite ; je la remis à son carrosse et je l'assurai, en la quittant, que j'enviais le bonheur de celui qui lui avait appris la brouillerie du Roi et de Mme de Valentinois.

Je m'en allai à l'heure même trouver Sancerre, je lui fis des reproches et je lui dis que je savais sa passion pour Mme de Tournon, sans lui dire comment je l'avais découverte. Il fut contraint de me l'avouer ; je lui contai ensuite ce qui me l'avait apprise, et il m'apprit aussi le détail de leur aventure ; il me dit que, quoiqu'il fût cadet de sa maison, et très éloigné de pouvoir prétendre un

aussi bon parti, que néanmoins elle était résolue de
l'épouser. L'on ne peut être plus surpris que je le fus.
Je dis à Sancerre de presser la conclusion de son mariage, et qu'il n'y avait rien qu'il ne dût craindre d'une
femme qui avait l'artifice de soutenir, aux yeux du public, un personnage si éloigné de la vérité. Il me répondit qu'elle avait été véritablement affligée, mais que
l'inclination qu'elle avait eue pour lui avait surmonté
cette affliction, et qu'elle n'avait pu laisser paraître tout
d'un coup un si grand changement. Il me dit encore plusieurs autres raisons pour l'excuser, qui me firent voir à
quel point il en était amoureux ; il m'assura qu'il la
ferait consentir que je susse la passion qu'il avait pour
elle, puisque aussi bien c'était elle-même qui me l'avait
apprise. Il l'y obligea en effet, quoique avec beaucoup
de peine, et je fus ensuite très avant dans leur confidence.

   Je n'ai jamais vu une femme avoir une conduite si
honnête et si agréable à l'égard de son amant ; néanmoins j'étais toujours choqué de son affectation à paraître encore affligée. Sancerre était si amoureux et si content de la manière dont elle en usait pour lui qu'il
n'osait quasi la presser de conclure leur mariage, de
peur qu'elle ne crût qu'il le souhaitait plutôt par intérêt
que par une véritable passion. Il lui en parla toutefois,
et elle lui parut résolue à l'épouser ; elle commença
même à quitter cette retraite où elle vivait et à se remettre dans le monde. Elle venait chez ma belle-sœur à
des heures où une partie de la Cour s'y trouvait. Sancerre n'y venait que rarement, mais ceux qui y étaient
tous les soirs, et qui l'y voyaient souvent, la trouvaient
très aimable.

Peu de temps après qu'elle eut commencé à quitter sa solitude, Sancerre crut voir quelque refroidissement dans la passion qu'elle avait pour lui. Il m'en parla plusieurs fois sans que je fisse aucun fondement sur ses plaintes ; mais, à la fin, comme il me dit qu'au lieu d'achever leur mariage, elle semblait l'éloigner, je commençai à croire qu'il n'avait pas de tort d'avoir de l'inquiétude. Je lui répondis que, quand la passion de Mme de Tournon diminuerait après avoir duré deux ans, il ne faudrait pas s'en étonner ; que quand même, sans être diminuée, elle ne serait pas assez forte pour l'obliger à l'épouser, qu'il ne devrait pas s'en plaindre ; que ce mariage, à l'égard du public, lui ferait un extrême tort, non seulement parce qu'il n'était pas un assez bon parti pour elle, mais par le préjudice qu'il apporterait à sa réputation ; qu'ainsi tout ce qu'il pouvait souhaiter, était qu'elle ne le trompât point et qu'elle ne lui donnât pas de fausses espérances. Je lui dis encore que, si elle n'avait pas la force de l'épouser ou qu'elle lui avouât qu'elle en aimait quelque autre, il ne fallait point qu'il s'emportât, ni qu'il se plaignît ; mais qu'il devrait conserver pour elle de l'estime et de la reconnaissance.

Je vous donne, lui dis-je, le conseil que je prendrais pour moi-même ; car la sincérité me touche d'une telle sorte que je crois que si ma maîtresse, et même ma femme, m'avouait[1] que quelqu'un lui plût, j'en serais affligé sans en être aigri. Je quitterais le personnage d'amant ou de mari, pour la conseiller et pour la plaindre.

---

1. Mme de Chartres admirait déjà la « sincérité » de sa fille. La remarque de M. de Clèves est évidemment faite pour nous préparer à la scène de l'aveu.

Ces paroles firent rougir Mme de Clèves, et elle y trouva un certain rapport avec l'état où elle était, qui la surprit et qui lui donna un trouble dont elle fut longtemps à se remettre.

Sancerre parla à Mme de Tournon, continua M. de Clèves, il lui dit tout ce que je lui avais conseillé ; mais elle le rassura avec tant de soin et parut si offensée de ses soupçons qu'elle les lui ôta entièrement. Elle remit néanmoins leur mariage après un voyage qu'il allait faire et qui devait être assez long ; mais elle se conduisit si bien jusqu'à son départ et en parut si affligée que je crus, aussi bien que lui, qu'elle l'aimait véritablement. Il partit il y a environ trois mois ; pendant son absence, j'ai peu vu Mme de Tournon : vous m'avez entièrement occupé et je savais seulement qu'il devait bientôt revenir.

Avant-hier, en arrivant à Paris, j'appris qu'elle était morte, j'envoyai savoir chez lui si on n'avait point eu de ses nouvelles. On me manda qu'il était arrivé dès la veille, qui était précisément le jour de la mort de Mme de Tournon. J'allai le voir à l'heure même, me doutant bien de l'état où je le trouverais ; mais son affliction passait de beaucoup ce que je m'en étais imaginé.

Je n'ai jamais vu une douleur si profonde et si tendre ; dès le moment qu'il me vit, il m'embrassa, fondant en larmes : Je ne la verrai plus, me dit-il, je ne la verrai plus, elle est morte ! Je n'en étais pas digne ; mais je la suivrai bientôt !

Après cela il se tut ; et puis, de temps en temps, redisant toujours : elle est morte, et je ne la verrai plus ! il revenait aux cris et aux larmes, et demeurait comme un homme qui n'avait plus de raison. Il me dit qu'il n'avait pas reçu souvent de ses lettres pendant son absence, mais qu'il ne s'en était pas étonné, parce qu'il la connaissait et qu'il savait la peine qu'elle avait à hasarder de ses lettres. Il ne doutait point qu'il ne l'eût épousée à son retour ; il la regardait comme la plus aimable et la plus fidèle personne qui eût jamais été ; il s'en croyait tendrement aimé ; il la perdait dans le moment qu'il pensait s'attacher à elle pour jamais. Toutes ces pensées le plongeaient dans une affliction violente dont il était entièrement accablé ; et j'avoue que je ne pouvais m'empêcher d'en être touché.

Je fus néanmoins contraint de le quitter pour aller chez le Roi ; je lui promis que je reviendrais bientôt. Je revins en effet, et je ne fus jamais si surpris que de le trouver tout différent de ce que je l'avais quitté. Il était debout dans sa chambre, avec un visage furieux, marchant et s'arrêtant comme s'il eût été hors de lui-même. Venez, venez, me dit-il, venez voir l'homme du monde le plus désespéré ; je suis plus malheureux mille fois que je n'étais tantôt, et ce que je viens d'apprendre de Mme de Tournon est pire que sa mort.

Je crus que la douleur le troublait entièrement et je ne pouvais m'imaginer qu'il y eût quelque chose de pire que la mort d'une maîtresse que l'on aime et dont on est aimé. Je lui dis que tant que son affliction avait eu des bornes, je l'avais approuvée, et que j'y étais entré ; mais que je ne le plaindrais plus s'il s'abandonnait au désespoir et s'il perdait la raison.

Je serais trop heureux de l'avoir perdue, et la vie

aussi, s'écria-t-il : Mme de Tournon m'était infidèle et
j'apprends son infidélité et sa trahison le lendemain que
j'ai appris sa mort, dans un temps où mon âme est remplie et pénétrée de la plus vive douleur et de la plus
tendre amour[1] que l'on ait jamais senties ; dans un
temps où son idée est dans mon cœur comme la plus
parfaite chose qui ait jamais été, et la plus parfaite à
mon égard, je trouve que je me suis trompé et qu'elle
ne mérite pas que je la pleure ; cependant j'ai la même
affliction de sa mort que si elle m'était fidèle et je sens
son infidélité comme si elle n'était point morte. Si
j'avais appris son changement devant sa mort, la jalousie, la colère, la rage m'auraient rempli et m'auraient
endurci en quelque sorte contre la douleur de sa perte ;
mais je suis dans un état où je ne puis ni m'en consoler,
ni la haïr.

Vous pouvez juger si je fus surpris de ce que me disait Sancerre ; je lui demandai comment il avait su ce
qu'il venait de me dire. Il me conta qu'un moment après
que j'étais sorti de sa chambre, Estouteville, qui est son
ami intime, mais qui ne savait pourtant rien de son
amour pour Mme de Tournon, l'était venu voir ; que,
d'abord qu'il avait été assis[2], il avait commencé à pleurer et qu'il lui avait dit qu'il lui demandait pardon de lui
avoir caché ce qu'il lui allait apprendre ; qu'il le priait
d'avoir pitié de lui ; qu'il venait lui ouvrir son cœur et
qu'il voyait l'homme du monde le plus affligé de la
mort de Mme de Tournon.

1. « La plus tendre amour » : entre le masculin et le féminin,
tous deux admis à l'époque, Vaugelas, dans ses *Remarques sur la
langue française* (1647), préconise plutôt le féminin.
2. « D'abord que » : dès que.

Ce nom, me dit Sancerre, m'a tellement surpris que, quoique mon premier mouvement ait été de lui dire que j'en étais plus affligé que lui, je n'ai pas eu néanmoins la force de parler. Il a continué, et m'a dit qu'il était amoureux d'elle depuis six mois ; qu'il avait toujours voulu me le dire, mais qu'elle le lui avait défendu expressément et avec tant d'autorité qu'il n'avait osé lui désobéir ; qu'il lui avait plu quasi dans le même temps qu'il l'avait aimée ; qu'ils avaient caché leur passion à tout le monde ; qu'il n'avait jamais été chez elle publiquement ; qu'il avait eu le plaisir de la consoler de la mort de son mari ; et qu'enfin il l'allait épouser dans le temps qu'elle était morte ; mais que ce mariage, qui était un effet de passion, aurait paru un effet de devoir et d'obéissance ; qu'elle avait gagné son père pour se faire commander de l'épouser, afin qu'il n'y eût pas un trop grand changement dans sa conduite, qui avait été si éloignée de se remarier.

Tant qu'Estouteville m'a parlé, me dit Sancerre, j'ai ajouté foi à ses paroles, parce que j'y ai trouvé de la vraisemblance et que le temps où il m'a dit qu'il avait commencé à aimer Mme de Tournon est précisément celui où elle m'a paru changée ; mais un moment après, je l'ai cru un menteur ou du moins un visionnaire. J'ai été prêt à le lui dire, j'ai passé ensuite à vouloir m'éclaircir, je l'ai questionné, je lui ai fait paraître des doutes ; enfin j'ai tant fait pour m'assurer de mon malheur qu'il m'a demandé si je connaissais l'écriture de Mme de Tournon. Il a mis sur mon lit quatre de ses lettres et son portrait ; mon frère est entré dans ce moment, Estouteville avait le visage si plein de larmes qu'il a été con-

traint de sortir pour ne se pas laisser voir ; il m'a dit
qu'il reviendrait ce soir requérir ce qu'il me laissait ; et
moi je chassai mon frère, sur le prétexte de me trouver
mal, par l'impatience de voir ces lettres que l'on m'avait
laissées, et espérant d'y trouver quelque chose qui ne
me persuaderait[1] pas tout ce qu'Estouteville venait de
me dire. Mais hélas ! que n'y ai-je point trouvé ? Quelle
tendresse ! quels serments ! quelles assurances de
l'épouser ! quelles lettres ! Jamais elle ne m'en a écrit
de semblables. Ainsi, ajouta-t-il, j'éprouve à la fois la
douleur de la mort et celle de l'infidélité ; ce sont deux
maux que l'on a souvent comparés, mais qui n'ont
jamais été sentis en même temps par la même personne.
J'avoue, à ma honte, que je sens encore plus sa perte
que son changement ; je ne puis la trouver assez coupable pour consentir à sa mort. Si elle vivait, j'aurais le
plaisir de lui faire des reproches et de me venger d'elle
en lui faisant connaître son injustice ; mais je ne la verrai plus, reprenait-il, je ne la verrai plus ; ce mal est le
plus grand de tous les maux. Je souhaiterais de lui rendre la vie aux dépens de la mienne. Quel souhait ! si
elle revenait, elle vivrait pour Estouteville. Que j'étais
heureux hier ! s'écriait-il, que j'étais heureux ! j'étais
l'homme du monde le plus affligé ; mais mon affliction
était raisonnable, et je trouvais quelque douceur à penser
que je ne devais jamais me consoler. Aujourd'hui, tous
mes sentiments sont injustes. Je paye à une passion
feinte qu'elle a eue pour moi, le même tribut de douleur
que je croyais devoir à une passion véritable. Je ne puis

---

1. Cette forme transitive de « persuader » n'est plus en usage
aujourd'hui.

ni haïr, ni aimer sa mémoire ; je ne puis me consoler ni
m'affliger. Du moins, me dit-il, en se retournant tout
d'un coup vers moi, faites, je vous en conjure, que je ne
voie jamais Estouteville ; son nom seul me fait horreur.
Je sais bien que je n'ai nul sujet de m'en plaindre ; c'est
ma faute de lui avoir caché que j'aimais Mme de Tournon ; s'il l'eût su, il ne s'y serait peut-être pas attaché,
elle ne m'aurait pas été infidèle ; il est venu me chercher
pour me confier sa douleur ; il me fait pitié. Eh ! c'est
avec raison, s'écriait-il ; il aimait Mme de Tournon, il
en était aimé et il ne la verra jamais ; je sens bien néanmoins que je ne saurais m'empêcher de le haïr. Et encore une fois, je vous conjure de faire en sorte que je
ne le voie point.

Sancerre se remit ensuite à pleurer, à regretter
Mme de Tournon, à lui parler et à lui dire les choses du
monde les plus tendres ; il repassa ensuite à la haine,
aux plaintes, aux reproches et aux imprécations contre
elle. Comme je le vis dans un état si violent, je connus
bien qu'il me fallait quelque secours pour m'aider à cal-
mer son esprit. J'envoyai quérir son frère que je venais
de quitter chez le Roi ; j'allai lui parler dans l'antichambre avant qu'il entrât et je lui contai l'état où était
Sancerre. Nous donnâmes des ordres pour empêcher
qu'il ne vît Estouteville et nous employâmes une
partie de la nuit à tâcher de le rendre capable de raison.
Ce matin je l'ai encore trouvé plus affligé ; son frère est
demeuré auprès de lui, et je suis revenu auprès de
vous.

— L'on ne peut être plus surprise que je le suis, dit
alors Mme de Clèves, et je croyais Mme de Tournon
incapable d'amour et de tromperie.

— L'adresse et la dissimulation, reprit M. de Clèves, ne peuvent aller plus loin qu'elle les a portées. Remarquez que, quand Sancerre crut qu'elle était changée pour lui, elle l'était véritablement et qu'elle commençait à aimer Estouteville. Elle disait à ce dernier qu'il la consolait de la mort de son mari et que c'était lui qui était cause qu'elle quittait cette grande retraite ; et il paraissait à Sancerre que c'était parce que nous avions résolu qu'elle ne témoignerait plus d'être si affligée. Elle faisait valoir à Estouteville de cacher leur intelligence et de paraître obligée à l'épouser par le commandement de son père, comme un effet du soin qu'elle avait de sa réputation ; et c'était pour abandonner Sancerre sans qu'il eût sujet de s'en plaindre. Il faut que je m'en retourne, continua M. de Clèves, pour voir ce malheureux et je crois qu'il faut que vous reveniez aussi à Paris. Il est temps que vous voyiez le monde, et que vous receviez ce nombre infini de visites dont aussi bien vous ne sauriez vous dispenser [1].

Mme de Clèves consentit à son retour et elle revint le lendemain. Elle se trouva plus tranquille sur M. de Nemours qu'elle n'avait été ; tout ce que lui avait dit Mme de Chartres en mourant, et la douleur de sa mort, avaient fait une suspension à ses sentiments, qui lui faisait croire qu'ils étaient entièrement effacés.

Dès le même soir qu'elle fut arrivée, Mme la Dauphine la vint voir, et après lui avoir témoigné la part qu'elle avait prise à son affliction, elle lui dit que, pour

1. Toute personne d'un rang élevé comme Mme de Clèves a le devoir de « paraître ». La vie de Cour interdit le repli sur soi. La même idée revient p. 117 et p. 189.

la détourner de ces tristes pensées, elle voulait l'instruire de tout ce qui s'était passé à la Cour en son absence ; elle lui conta ensuite plusieurs choses particulières.

— Mais ce que j'ai le plus d'envie de vous apprendre, ajouta-t-elle, c'est qu'il est certain que M. de Nemours est passionnément amoureux et que ses amis les plus intimes, non seulement ne sont point dans sa confidence, mais qu'ils ne peuvent deviner qui est la personne qu'il aime. Cependant cet amour est assez fort pour lui faire négliger ou abandonner, pour mieux dire, les espérances d'une couronne.

Mme la Dauphine conta ensuite tout ce qui s'était passé sur l'Angleterre.

— J'ai appris ce que je viens de vous dire, continua-t-elle, de M. d'Anville ; et il m'a dit ce matin que le Roi envoya quérir, hier au soir, M. de Nemours, sur des lettres de Lignerolles, qui demande à revenir, et qui écrit au Roi qu'il ne peut plus soutenir auprès de la reine d'Angleterre les retardements de M. de Nemours ; qu'elle commence à s'en offenser, et qu'encore qu'elle n'eût point donné de parole positive, elle en avait assez dit pour faire hasarder un voyage. Le Roi lut cette lettre à M. de Nemours qui, au lieu de parler sérieusement, comme il avait fait dans les commencements, ne fit que rire, que badiner et se moquer des espérances de Lignerolles. Il dit que toute l'Europe condamnerait son imprudence s'il hasardait d'aller en Angleterre comme un prétendu mari de la Reine sans être assuré du succès. — Il me semble aussi, ajouta-t-il, que je prendrais mal mon temps de faire ce voyage présentement que le roi d'Espagne fait de si grandes instances pour épouser cette reine. Ce ne serait peut-être pas un rival bien redoutable dans une galanterie ; mais je pense que dans un mariage Votre Majesté ne me conseillerait pas de lui disputer quelque chose. — Je vous le conseillerais en cette occasion, reprit le Roi ; mais vous n'aurez rien à lui disputer ; je sais qu'il a d'autres pensées ; et, quand il n'en aurait pas, la reine Marie s'est trop mal trouvée du joug de l'Espagne pour croire que sa sœur le veuille reprendre et qu'elle se laisse éblouir à l'éclat de tant de couronnes jointes ensemble. — Si elle ne s'en laisse pas éblouir, repartit M. de Nemours, il y a apparence qu'elle voudra se rendre heureuse par l'amour. Elle a aimé le milord Courtenay, il y a déjà quelques années ; il était aussi aimé de la reine Marie, qui l'aurait épousé, du consentement de toute l'Angleterre, sans qu'elle connût que la jeunesse et la beauté de sa sœur Élisabeth le touchaient davantage que l'espérance de régner. Votre Majesté sait que les violentes jalousies qu'elle en eut la portèrent à les mettre l'un et l'autre en prison, à exiler ensuite le milord Courtenay, et la déterminèrent enfin à épouser le roi d'Espagne. Je crois qu'Élisabeth, qui est présentement sur le trône, rappellera bientôt ce milord, et qu'elle choisira un homme qu'elle a aimé, qui est fort aimable, qui a tant souffert pour elle, plutôt qu'un autre qu'elle n'a jamais vu [1].

1. Ce discours n'est pas une digression puisqu'il s'agit de Nemours. Mais, dans ce passage comme dans l'histoire de Mme de Valentinois ou, plus tard, celle d'Anne de Boulen, on voit bien le penchant qu'a la romancière pour l'histoire avec un grand H. Sur les rapports de l'histoire et du roman, voir ci-dessous, p. 268-269.

— Je serais de votre avis, repartit le Roi, si Courtenay vivait encore ; mais j'ai su, depuis quelques jours, qu'il est mort à Padoue, où il était relégué. Je vois bien, ajouta-t-il en quittant M. de Nemours, qu'il faudrait faire votre mariage comme on ferait celui de M. le Dauphin, et envoyer épouser la reine d'Angleterre par des ambassadeurs.

M. d'Anville et M. le Vidame, qui étaient chez le Roi avec M. de Nemours, sont persuadés que c'est cette même passion dont il est occupé, qui le détourne d'un si grand dessein. Le Vidame, qui le voit de plus près que personne, a dit à Mme de Martigues que ce prince est tellement changé qu'il ne le reconnaît plus ; et ce qui l'étonne davantage c'est qu'il ne lui voit aucun commerce, ni aucunes[1] heures particulières où il se dérobe, en sorte qu'il croit qu'il n'a point d'intelligence avec la personne qu'il aime ; et c'est ce qui fait méconnaître M. de Nemours de lui voir aimer une femme qui ne répond point à son amour.

Quel poison, pour Mme de Clèves, que le discours de Mme la Dauphine ! Le moyen de ne se pas reconnaître pour cette personne dont on ne savait point le nom et le moyen de n'être pas pénétrée de reconnaissance et de tendresse, en apprenant, par une voie qui ne lui pouvait être suspecte, que ce prince, qui touchait déjà son cœur, cachait sa passion à tout le monde et négligeait pour l'amour d'elle les espérances d'une couronne ? Aussi ne

1. À l'époque classique, et surtout au pluriel, « aucun » garde encore sa valeur positive initiale (« aucun » = « quelqu'un »).

peut-on représenter ce qu'elle sentit, et le trouble qui s'éleva dans son âme. Si Mme la Dauphine l'eût regardée avec attention, elle eût aisément remarqué que les choses qu'elle venait de dire ne lui étaient pas indifférentes ; mais, comme elle n'avait aucun soupçon de la vérité, elle continua de parler, sans y faire de réflexion.

— M. d'Anville, ajouta-t-elle, qui, comme je vous viens de dire, m'a appris tout ce détail, m'en croit mieux instruite que lui ; et il a une si grande opinion de mes charmes qu'il est persuadé que je suis la seule personne qui puisse faire de si grands changements en M. de Nemours.

Ces dernières paroles de Mme la Dauphine donnèrent une autre sorte de trouble à Mme de Clèves, que celui qu'elle avait eu quelques moments auparavant.

— Je serais aisément de l'avis de M. d'Anville, répondit-elle ; et il y a beaucoup d'apparence, Madame, qu'il ne faut pas moins qu'une princesse telle que vous pour faire mépriser la reine d'Angleterre.

— Je vous l'avouerais si je le savais, repartit Mme la Dauphine, et je le saurais s'il était véritable. Ces sortes de passions n'échappent point à la vue de celles qui les causent ; elles s'en aperçoivent les premières. M. de Nemours ne m'a jamais témoigné que de légères complaisances, mais il y a néanmoins une si grande différence de la manière dont il a vécu avec moi à celle dont il y vit présentement que je puis vous répondre que je ne suis pas la cause de l'indifférence qu'il a pour la couronne d'Angleterre.

Je m'oublie avec vous, ajouta Mme la Dauphine, et je ne me souviens pas qu'il faut que j'aille voir Madame. Vous savez que la paix est quasi conclue ; mais vous ne savez pas que le roi d'Espagne n'a voulu passer aucun article qu'à condition d'épouser cette princesse, au lieu du prince don Carlos, son fils. Le Roi a eu beaucoup de peine à s'y résoudre ; enfin il y a consenti, et il est allé tantôt annoncer cette nouvelle à Madame. Je crois qu'elle sera inconsolable ; ce n'est pas une chose qui puisse plaire d'épouser un homme de l'âge et de l'humeur du roi d'Espagne, surtout à elle qui a toute la joie que donne la première jeunesse jointe à la beauté et qui s'attendait d'épouser un jeune prince pour qui elle a de l'inclination sans l'avoir vu. Je ne sais si le Roi trouvera en elle toute l'obéissance qu'il désire ; il m'a chargée de la voir parce qu'il sait qu'elle m'aime et qu'il croit que j'aurai quelque pouvoir sur son esprit. Je ferai ensuite une autre visite bien différente : j'irai me réjouir avec Madame sœur du Roi. Tout est arrêté pour son mariage avec M. de Savoie ; et il sera ici dans peu de temps. Jamais personne de l'âge de cette princesse n'a eu une joie si entière de se marier [1]. La Cour va être plus belle et plus grosse qu'on ne l'a jamais vue ; et, malgré votre affliction, il faut que vous veniez nous aider à faire voir aux étrangers que nous n'avons pas de médiocres beautés.

Après ces paroles, Mme la Dauphine quitta Mme de Clèves et, le lendemain, le mariage de Madame fut su de tout le monde. Les jours suivants, le Roi et les reines

---

1. Madame a, en effet, 36 ans, un âge bien tardif, à l'époque, pour convoler.

allèrent voir Mme de Clèves. M. de Nemours, qui avait attendu son retour avec une extrême impatience et qui souhaitait ardemment de lui pouvoir parler sans témoins, attendit pour aller chez elle l'heure que tout le monde en sortirait et qu'apparemment il ne reviendrait plus personne. Il réussit dans son dessein et il arriva comme les dernières visites en sortaient.

Cette princesse était sur son lit, il faisait chaud, et la vue de M. de Nemours acheva de lui donner une rougeur qui ne diminuait pas sa beauté. Il s'assit vis-à-vis d'elle, avec cette crainte et cette timidité que donnent les véritables passions. Il demeura quelque temps sans pouvoir parler. Mme de Clèves n'était pas moins interdite, de sorte qu'ils gardèrent assez longtemps le silence. Enfin M. de Nemours prit la parole et lui fit des compliments[1] sur son affliction ; Mme de Clèves, étant bien aise de continuer la conversation sur ce sujet, parla assez longtemps de la perte qu'elle avait faite ; et enfin, elle dit que, quand le temps aurait diminué la violence de sa douleur, il lui en demeurerait toujours une si forte impression que son humeur en serait changée.

— Les grandes afflictions et les passions violentes, repartit M. de Nemours, font de grands changements dans l'esprit ; et, pour moi, je ne me reconnais pas depuis que je suis revenu de Flandre. Beaucoup de gens ont remarqué ce changement, et même Mme la Dauphine m'en parlait encore hier.

1. « Compliments » : il ne s'agit pas, bien sûr, de félicitations, mais de simples paroles de politesse.

— Il est vrai, repartit Mme de Clèves, qu'elle l'a remarqué, et je crois lui en avoir ouï dire quelque chose.

— Je ne suis pas fâché, Madame, répliqua M. de Nemours, qu'elle s'en soit aperçue, mais je voudrais qu'elle ne fût pas seule à s'en apercevoir. Il y a des personnes à qui on n'ose donner d'autres marques de la passion qu'on a pour elles que par les choses qui ne les regardent point ; et, n'osant leur faire paraître qu'on les aime, on voudrait du moins qu'elles vissent que l'on ne veut être aimé de personne. L'on voudrait qu'elles sussent qu'il n'y a point de beauté, dans quelque rang qu'elle pût être, que l'on ne regardât avec indifférence, et qu'il n'y a point de couronne que l'on voulût acheter au prix de ne les voir jamais. Les femmes jugent d'ordinaire de la passion qu'on a pour elles, continuat-il, par le soin qu'on prend de leur plaire et de les chercher ; mais ce n'est pas une chose difficile pour peu qu'elles soient aimables ; ce qui est difficile, c'est de ne s'abandonner pas au plaisir de les suivre ; c'est de les éviter, par la peur de laisser paraître au public, et quasi à elles-mêmes, les sentiments que l'on a pour elles. Et ce qui marque encore mieux un véritable attachement, c'est de devenir entièrement opposé à ce que l'on était, et de n'avoir plus d'ambition, ni de plaisir, après avoir été toute sa vie occupé de l'un et de l'autre.

Mme de Clèves entendait aisément la part qu'elle avait à ces paroles. Il lui semblait qu'elle devait y répondre et ne les pas souffrir. Il lui semblait aussi qu'elle ne devait pas les entendre, ni témoigner qu'elle les prît

pour elle. Elle croyait devoir parler et croyait ne devoir
rien dire. Le discours de M. de Nemours lui plaisait et
l'offensait quasi également ; elle y voyait la confirmation de tout ce que lui avait fait penser Mme la Dauphine ; elle y trouvait quelque chose de galant et de res-
pectueux, mais aussi quelque chose de hardi et de trop
intelligible. L'inclination qu'elle avait pour ce prince lui
donnait un trouble dont elle n'était pas maîtresse. Les
paroles les plus obscures d'un homme qui plaît donnent
plus d'agitation que des déclarations ouvertes d'un
homme qui ne plaît pas. Elle demeurait donc sans répondre, et M. de Nemours se fût aperçu de son silence, dont
il n'aurait peut-être pas tiré de mauvais présages, si l'arrivée de M. de Clèves n'eût fini la conversation et sa
visite.

Ce prince venait conter à sa femme des nouvelles de
Sancerre ; mais elle n'avait pas une grande curiosité
pour la suite de cette aventure. Elle était si préoccupée
de ce qui venait de se passer qu'à peine pouvait-elle cacher la distraction de son esprit. Quand elle fut en liberté
de rêver, elle connut bien qu'elle s'était trompée
lorsqu'elle avait cru n'avoir plus que de l'indifférence
pour M. de Nemours. Ce qu'il lui avait dit avait fait
toute l'impression qu'il pouvait souhaiter et l'avait entièrement persuadée de sa passion. Les actions de ce
prince s'accordaient trop bien avec ses paroles pour laisser quelque doute à cette princesse. Elle ne se flatta plus
de l'espérance de ne le pas aimer ; elle songea seulement à ne lui en donner jamais aucune marque. C'était
une entreprise difficile, dont elle connaissait déjà les
peines ; elle savait que le seul moyen d'y réussir était

d'éviter la présence de ce prince ; et, comme son deuil lui donnait lieu d'être plus retirée que de coutume, elle se servit de ce prétexte pour n'aller plus dans les lieux où il la pouvait voir. Elle était dans une tristesse profonde ; la mort de sa mère en paraissait la cause, et l'on n'en cherchait point d'autre.

M. de Nemours était désespéré de ne la voir presque plus ; et, sachant qu'il ne la trouverait dans aucune assemblée et dans aucun des divertissements où était toute la Cour, il ne pouvait se résoudre d'y paraître ; il feignit une grande passion pour la chasse et il en faisait des parties les mêmes jours qu'il y avait des assemblées chez les reines. Une légère maladie lui servit longtemps de prétexte pour demeurer chez lui et pour éviter d'aller dans tous les lieux où il savait bien que Mme de Clèves ne serait pas.

M. de Clèves fut malade à peu près dans le même temps. Mme de Clèves ne sortit point de sa chambre pendant son mal ; mais, quand il se porta mieux, qu'il vit du monde, et entre autres M. de Nemours qui, sur le prétexte d'être encore faible, y passait la plus grande partie du jour, elle trouva qu'elle n'y pouvait plus demeurer ; elle n'eut pas néanmoins la force d'en sortir les premières fois qu'il y vint. Il y avait trop longtemps qu'elle ne l'avait vu, pour se résoudre à ne le voir pas. Ce prince trouva le moyen de lui faire entendre par des discours qui ne semblaient que généraux, mais qu'elle entendait néanmoins parce qu'ils avaient du rapport à ce qu'il lui avait dit chez elle, qu'il allait à la chasse pour rêver et qu'il n'allait point aux assemblées parce qu'elle n'y était pas.

Elle exécuta enfin la résolution qu'elle avait prise de sortir de chez son mari lorsqu'il y serait ; ce fut toutefois en se faisant une extrême violence. Ce prince vit bien qu'elle le fuyait, et en fut sensiblement touché.

M. de Clèves ne prit pas garde d'abord à la conduite de sa femme ; mais enfin il s'aperçut qu'elle ne voulait pas être dans sa chambre lorsqu'il y avait du monde. Il lui en parla, et elle lui répondit qu'elle ne croyait pas que la bienséance voulût qu'elle fût tous les soirs avec ce qu'il y avait de plus jeune à la Cour [1] ; qu'elle le suppliait de trouver bon qu'elle fît une vie plus retirée qu'elle n'avait accoutumé ; que la vertu et la présence de sa mère autorisaient beaucoup de choses qu'une femme de son âge ne pouvait soutenir.

M. de Clèves, qui avait naturellement beaucoup de douceur et de complaisance pour sa femme, n'en eut pas en cette occasion, et il lui dit qu'il ne voulait pas absolument qu'elle changeât de conduite. Elle fut prête de lui dire que le bruit était dans le monde que M. de Nemours était amoureux d'elle ; mais elle n'eut pas la force de le nommer. Elle sentit aussi de la honte de se vouloir servir d'une fausse raison et de déguiser la vérité à un homme qui avait si bonne opinion d'elle.

Quelques jours après, le Roi était chez la Reine à l'heure du cercle ; l'on parla des horoscopes et des prédictions. Les opinions étaient partagées sur la croyance

1. À l'époque où est censé se passer le roman, les principaux personnages historiques masculins ont entre 25 et 40 ans. Mme de Lafayette se garde bien de citer l'âge réel d'aucun d'entre eux : mais elle les voit, à l'évidence, plus jeunes qu'ils ne sont, c'est-à-dire plus proches de l'héroïne, comme il apparaît p. 117.

que l'on y devait donner. La Reine y ajoutait beaucoup de foi ; elle soutint qu'après tant de choses qui avaient été prédites, et que l'on avait vu arriver, on ne pouvait douter qu'il n'y eût quelque certitude dans cette science. D'autres soutenaient que, parmi ce nombre infini de prédictions, le peu qui se trouvaient véritables faisait bien voir que ce n'était qu'un effet du hasard.

— J'ai eu autrefois beaucoup de curiosité pour l'avenir, dit le Roi ; mais on m'a dit tant de choses fausses et si peu vraisemblables que je suis demeuré convaincu que l'on ne peut rien savoir de véritable. Il y a quelques années qu'il vint ici un homme d'une grande réputation dans l'astrologie. Tout le monde l'alla voir ; j'y allai comme les autres, mais sans lui dire qui j'étais, et je menai M. de Guise et d'Escars ; je les fis passer les premiers. L'astrologue néanmoins s'adressa d'abord à moi, comme s'il m'eût jugé le maître des autres. Peut-être qu'il me connaissait ; cependant il me dit une chose qui ne me convenait pas s'il m'eût connu. Il me prédit que je serais tué en duel. Il dit ensuite à M. de Guise qu'il serait tué par derrière et à d'Escars qu'il aurait la tête cassée d'un coup de pied de cheval. M. de Guise s'offensa quasi de cette prédiction, comme si on l'eût accusé de devoir fuir. D'Escars ne fut guère satisfait de trouver qu'il devait finir par un accident si malheureux. Enfin nous sortîmes tous très mal contents de l'astrologue. Je ne sais ce qui arrivera à M. de Guise et à d'Escars ; mais il n'y a guère d'apparence que je sois tué en duel[1]. Nous

1. La prédiction n'est pas si mauvaise que le croit le Roi : il ne sera pas tué en duel, mais périra d'une blessure reçue dans un tournoi (voir p. 196-197).

venons de faire la paix, le roi d'Espagne et moi ; et, quand nous ne l'aurions pas faite, je doute que nous nous battions, et que je le fisse appeler comme le Roi mon père fit appeler Charles-Quint.

Après le malheur que le Roi conta qu'on lui avait prédit, ceux qui avaient soutenu l'astrologie en abandonnèrent le parti et tombèrent d'accord qu'il n'y fallait donner aucune croyance.

— Pour moi, dit tout haut M. de Nemours, je suis l'homme du monde qui dois le moins y en avoir ; et, se tournant vers Mme de Clèves, auprès de qui il était : « On m'a prédit, lui dit-il tout bas, que je serais heureux par les bontés de la personne du monde pour qui j'aurais la plus violente et la plus respectueuse passion. Vous pouvez juger, Madame, si je dois croire aux prédictions. »

Mme la Dauphine qui crut, par ce que M. de Nemours avait dit tout haut, que ce qu'il disait tout bas était quelque fausse prédiction qu'on lui avait faite, demanda à ce prince ce qu'il disait à Mme de Clèves. S'il eût eu moins de présence d'esprit, il eût été surpris de cette demande. Mais prenant la parole sans hésiter :

— Je lui disais, Madame, répondit-il, que l'on m'a prédit que je serais élevé à une si haute fortune que je n'oserais même y prétendre.

— Si l'on ne vous a fait que cette prédiction, repartit Mme la Dauphine en souriant, et pensant à l'affaire d'Angleterre, je ne vous conseille pas de décrier l'astrologie, et vous pourriez trouver des raisons pour la soutenir.

Mme de Clèves comprit bien ce que voulait dire Mme la Dauphine ; mais elle entendait bien aussi que la fortune dont M. de Nemours voulait parler, n'était pas d'être roi d'Angleterre.

Comme il y avait déjà assez longtemps de la mort de sa mère, il fallait qu'elle commençât à paraître dans le monde et à faire sa cour comme elle avait accoutumé. Elle voyait M. de Nemours chez Mme la Dauphine ; elle le voyait chez M. de Clèves, où il venait souvent avec d'autres personnes de qualité de son âge, afin de ne se pas faire remarquer ; mais elle ne le voyait plus qu'avec un trouble dont il s'apercevait aisément.

Quelque application qu'elle eût à éviter ses regards et à lui parler moins qu'à un autre, il lui échappait de certaines choses qui partaient d'un premier mouvement, qui faisaient juger à ce prince qu'il ne lui était pas indifférent. Un homme moins pénétrant que lui ne s'en fût peut-être pas aperçu ; mais il avait déjà été aimé tant de fois qu'il était difficile qu'il ne connût pas quand on l'aimait. Il voyait bien que le chevalier de Guise était son rival, et ce prince connaissait que M. de Nemours était le sien. Il était le seul homme de la Cour qui eût démêlé cette vérité ; son intérêt l'avait rendu plus clairvoyant que les autres ; la connaissance qu'ils avaient de leurs sentiments leur donnait une aigreur qui paraissait en toutes choses sans éclater néanmoins par aucun démêlé ; mais ils étaient opposés en tout. Ils étaient toujours de différent parti dans les courses de bague, dans les combats à la barrière[1] et dans tous les divertisse-

---

1. À la barrière de la lice. Cf. ci-dessous p. 126.

ments où le Roi s'occupait ; et leur émulation était si grande qu'elle ne se pouvait cacher.

L'affaire d'Angleterre revenait souvent dans l'esprit de Mme de Clèves : il lui semblait que M. de Nemours ne résisterait point aux conseils du Roi et aux instances de Lignerolles. Elle voyait avec peine que ce dernier n'était point encore de retour, et elle l'attendait avec impatience. Si elle eût suivi ses mouvements, elle se serait informée avec soin de l'état de cette affaire ; mais le même sentiment qui lui donnait de la curiosité, l'obligeait à la cacher et elle s'enquérait seulement de la beauté, de l'esprit et de l'humeur de la reine Élisabeth. On apporta un de ses portraits chez le Roi, qu'elle trouva plus beau qu'elle n'avait envie de le trouver ; et elle ne put s'empêcher de dire qu'il était flatté.

— Je ne le crois pas, reprit Mme la Dauphine qui était présente ; cette princesse a la réputation d'être belle et d'avoir un esprit fort au-dessus du commun, et je sais bien qu'on me l'a proposée toute ma vie pour exemple. Elle doit être aimable, si elle ressemble à Anne de Boulen, sa mère. Jamais femme n'a eu tant de charmes et tant d'agrément dans sa personne et dans son humeur. J'ai ouï dire que son visage avait quelque chose de vif et de singulier, et qu'elle n'avait aucune ressemblance avec les autres beautés anglaises.

— Il me semble aussi, reprit Mme de Clèves, que l'on dit qu'elle était née en France.

— Ceux qui l'ont cru se sont trompés, répondit Mme la Dauphine, et je vais vous conter son histoire en peu de mots [1].

_____

1. Troisième digression sans rapport direct avec le sujet : l'histoire tragique d'Anne de Boulen.

Elle était d'une bonne maison d'Angleterre. Henri VIII avait été amoureux de sa sœur et de sa mère, et l'on a même soupçonné qu'elle était sa fille. Elle vint ici avec la sœur de Henri VII, qui épousa le roi Louis XII. Cette princesse, qui était jeune et galante, eut beaucoup de peine à quitter la cour de France après la mort de son mari ; mais Anne de Boulen, qui avait les mêmes inclinations que sa maîtresse, ne se put résoudre à en partir. Le feu Roi en était amoureux, et elle demeura fille d'honneur de la reine Claude. Cette reine mourut, et Mme Marguerite, sœur du roi, duchesse d'Alençon, et depuis reine de Navarre, dont vous avez vu les contes, la prit auprès d'elle, et elle prit auprès de cette princesse les teintures de la religion nouvelle. Elle retourna ensuite en Angleterre et y charma tout le monde ; elle avait les manières de France qui plaisent à toutes les nations ; elle chantait bien, elle dansait admirablement ; on la mit fille de la reine Catherine d'Aragon, et le roi Henri VIII en devint éperdument amoureux.

Le cardinal de Wolsey, son favori et son premier ministre, avait prétendu au pontificat et, mal satisfait de l'Empereur, qui ne l'avait pas soutenu dans cette prétention, il résolut de s'en venger, et d'unir le Roi, son maître, à la France. Il mit dans l'esprit de Henri VIII que son mariage avec la tante de l'Empereur était nul et lui proposa d'épouser la duchesse d'Alençon, dont le mari venait de mourir. Anne de Boulen, qui avait de l'ambition, regarda ce divorce comme un chemin qui la pouvait conduire au trône. Elle commença à donner au roi d'Angleterre des impressions de la religion de Luther et engagea le feu Roi à favoriser à Rome le divorce de Henri, sur l'espérance du mariage de Mme d'Alençon. Le cardinal de Wolsey se fit député[1] en France sur d'autres prétextes pour traiter cette affaire ; mais son maître ne put se résoudre à souffrir qu'on en fît seulement la proposition et il lui envoya un ordre, à Calais, de ne point parler de ce mariage.

Au retour de France, le cardinal de Wolsey fut reçu avec des honneurs pareils à ceux que l'on rendait au Roi même ; jamais favori n'a porté l'orgueil et la vanité à un si haut point. Il ménagea une entrevue entre les deux rois, qui se fit à Boulogne. François Ier donna la main à Henri VIII, qui ne la voulait point recevoir. Ils se traitèrent tour à tour avec une magnificence extraordinaire, et se donnèrent des habits pareils à ceux qu'ils avaient fait faire pour eux-mêmes. Je me souviens d'avoir ouï dire que ceux que le feu Roi envoya au roi d'Angleterre étaient de satin cramoisi, chamarré en triangle, avec des perles et des diamants, et la robe de velours blanc brodé d'or. Après avoir été quelques jours à Boulogne, ils allèrent encore à Calais, Anne de Boulen était logée chez Henri VIII avec le train d'une reine, et François Ier lui fit les mêmes présents et lui rendit les mêmes honneurs que si elle l'eût été. Enfin, après une passion de neuf années, Henri l'épousa sans attendre la dissolution de son premier mariage, qu'il demandait à Rome depuis longtemps. Le pape prononça les fulminations[2] contre lui avec précipitation et Henri en fut tellement irrité

1. « Députer » : déléguer.
2. « Fulmination » : dans le droit canon, condamnation prononcée par une bulle du pape.

qu'il se déclara chef de la religion et entraîna toute l'Angleterre dans le malheureux changement où vous la voyez.

Anne de Boulen ne jouit pas longtemps de sa grandeur ; car, lorsqu'elle la croyait plus assurée par la mort de Catherine d'Aragon, un jour qu'elle assistait avec toute la Cour à des courses de bague que faisait le vicomte de Rochefort, son frère, le Roi en fut frappé d'une telle jalousie qu'il quitta brusquement le spectacle, s'en vint à Londres et laissa ordre d'arrêter la Reine, le vicomte de Rochefort et plusieurs autres, qu'il croyait amants ou confidents de cette princesse. Quoique cette jalousie parût née dans ce moment, il y avait déjà quelque temps qu'elle lui avait été inspirée par la vicomtesse de Rochefort qui, ne pouvant souffrir la liaison étroite de son mari avec la Reine, la fit regarder au Roi comme une amitié criminelle ; en sorte que ce prince qui, d'ailleurs, était amoureux de Jeanne Seymour, ne songea qu'à se défaire d'Anne de Boulen. En moins de trois semaines, il fit faire le procès à cette reine et à son frère, leur fit couper la tête et épousa Jeanne Seymour. Il eut ensuite plusieurs femmes, qu'il répudia ou qu'il fit mourir, et entre autres Catherine Howard, dont la comtesse de Rochefort était confidente, et qui eut la tête coupée avec elle. Elle fut ainsi punie des crimes qu'elle avait supposés à Anne de Boulen, et Henri VIII mourut, étant devenu d'une grosseur prodigieuse.

Toutes les dames, qui étaient présentes au récit de Mme la Dauphine, la remercièrent de les avoir si bien instruites de la cour d'Angleterre, et entre autres Mme de Clèves, qui ne put s'empêcher de lui faire encore plusieurs questions sur la reine Élisabeth.

La Reine Dauphine faisait faire des portraits en petit
de toutes les belles personnes de la Cour pour les envoyer à la Reine sa mère. Le jour qu'on achevait celui
de Mme de Clèves, Mme la Dauphine vint passer
l'après-dînée chez elle. M. de Nemours ne manqua pas
de s'y trouver ; il ne laissait échapper aucune occasion
de voir Mme de Clèves sans laisser paraître néanmoins
qu'il les cherchât. Elle était si belle, ce jour-là, qu'il en
serait devenu amoureux quand il ne l'aurait pas été. Il
n'osait pourtant avoir les yeux attachés sur elle pendant
qu'on la peignait, et il craignait de laisser trop voir le
plaisir qu'il avait à la regarder.

Mme la Dauphine demanda à M. de Clèves un petit
portrait qu'il avait de sa femme, pour le voir auprès de
celui que l'on achevait ; tout le monde dit son sentiment
de l'un et de l'autre ; et Mme de Clèves ordonna au
peintre de raccommoder quelque chose à la coiffure de
celui que l'on venait d'apporter. Le peintre, pour lui
obéir, ôta le portrait de la boîte où il était et, après y
avoir travaillé, il le remit sur la table.

Il y avait longtemps que M. de Nemours souhaitait
d'avoir le portrait de Mme de Clèves. Lorsqu'il vit celui
qui était à M. de Clèves, il ne put résister à l'envie de
le dérober à un mari qu'il croyait tendrement aimé ; et
il pensa que, parmi tant de personnes qui étaient dans
ce même lieu, il ne serait pas soupçonné plutôt qu'un
autre.

Mme la Dauphine était assise sur le lit et parlait bas
à Mme de Clèves, qui était debout devant elle. Mme de
Clèves aperçut par un des rideaux, qui n'était qu'à demi
fermé, M. de Nemours, le dos contre la table, qui était

au pied du lit, et elle vit que, sans tourner la tête, il
prenait adroitement quelque chose sur cette table. Elle
n'eut pas de peine à deviner que c'était son portrait,
et elle en fut si troublée que Mme la Dauphine remarqua qu'elle ne l'écoutait pas et lui demanda tout haut
ce qu'elle regardait. M. de Nemours se tourna à ces paroles ; il rencontra les yeux de Mme de Clèves, qui
étaient encore attachés sur lui, et il pensa qu'il
n'était pas impossible qu'elle eût vu ce qu'il venait de
faire.

Mme de Clèves n'était pas peu embarrassée. La raison voulait qu'elle demandât son portrait ; mais, en le
demandant publiquement, c'était apprendre à tout le
monde les sentiments que ce prince avait pour elle, et,
en le lui demandant en particulier, c'était quasi l'engager à lui parler de sa passion. Enfin elle jugea qu'il valait mieux le lui laisser, et elle fut bien aise de lui accorder une faveur qu'elle lui pouvait faire sans qu'il sût
même qu'elle la lui faisait. M. de Nemours, qui remarquait son embarras, et qui en devinait quasi[1] la cause,
s'approcha d'elle et lui dit tout bas :

— Si vous avez vu ce que j'ai osé faire, ayez la
bonté, Madame, de me laisser croire que vous l'ignorez ;
je n'ose vous en demander davantage. Et il se retira
après ces paroles et n'attendit point sa réponse.

Mme la Dauphine sortit pour s'aller promener, suivie
de toutes les dames, et M. de Nemours alla se renfermer
chez lui, ne pouvant soutenir en public la joie d'avoir

---

1. Mme de Lafayette emploie couramment « quasi » à la place
de « presque ». Pour les puristes comme Valincour, c'est un ar-
chaïsme.

un portrait de Mme de Clèves. Il sentait tout ce que la passion peut faire sentir de plus agréable ; il aimait la plus aimable personne de la Cour ; il s'en faisait aimer malgré elle, et il voyait dans toutes ses actions cette sorte de trouble et d'embarras que cause l'amour dans l'innocence de la première jeunesse.

Le soir, on chercha ce portrait avec beaucoup de soin ; comme on trouvait la boîte où il devait être, l'on ne soupçonna point qu'il eût été dérobé, et l'on crut qu'il était tombé par hasard. M. de Clèves était affligé de cette perte et, après qu'on eut encore cherché inutilement, il dit à sa femme, mais d'une manière qui faisait voir qu'il ne le pensait pas, qu'elle avait sans doute quelque amant caché à qui elle avait donné ce portrait ou qui l'avait dérobé, et qu'un autre qu'un amant ne se serait pas contenté de la peinture sans la boîte.

Ces paroles, quoique dites en riant, firent une vive impression dans l'esprit de Mme de Clèves. Elles lui donnèrent des remords ; elle fit réflexion à la violence de l'inclination qui l'entraînait vers M. de Nemours ; elle trouva qu'elle n'était plus maîtresse de ses paroles et de son visage ; elle pensa que Lignerolles était revenu ; qu'elle ne craignait plus l'affaire d'Angleterre ; qu'elle n'avait plus de soupçons sur Mme la Dauphine ; qu'enfin il n'y avait plus rien qui la pût défendre et qu'il n'y avait de sûreté pour elle qu'en s'éloignant. Mais, comme elle n'était pas maîtresse de s'éloigner, elle se trouvait dans une grande extrémité et prête à tomber dans ce qui lui paraissait le plus grand des malheurs, qui était de laisser voir à M. de Nemours l'inclination qu'elle avait pour lui. Elle se souvenait de tout ce que

Mme de Chartres lui avait dit en mourant et des conseils qu'elle lui avait donnés de prendre toutes sortes de partis, quelque difficiles qu'ils pussent être, plutôt que de s'embarquer dans une galanterie. Ce que M. de Clèves lui avait dit sur la sincérité, en parlant de Mme de Tournon, lui revint dans l'esprit ; il lui sembla qu'elle lui devait avouer l'inclination qu'elle avait pour M. de Nemours. Cette pensée l'occupa longtemps ; ensuite elle fut étonnée de l'avoir eue, elle y trouva de la folie, et retomba dans l'embarras de ne savoir quel parti prendre [1].

La paix [2] était signée ; Mme Élisabeth, après beaucoup de répugnance, s'était résolue à obéir au Roi son père. Le duc d'Albe avait été nommé pour venir l'épouser au nom du roi catholique, et il devait bientôt arriver. L'on attendait le duc de Savoie, qui venait épouser Madame sœur du Roi, et dont les noces se devaient faire en même temps [3]. Le Roi ne songeait qu'à rendre ces noces célèbres par des divertissements où il pût faire paraître l'adresse et la magnificence de sa Cour. On proposa tout ce qui se pouvait faire de plus grand pour des ballets et des comédies, mais le Roi trouva ces divertissements trop particuliers, et il en voulut d'un plus grand éclat. Il résolut de faire un tournoi, où les étrangers se-

---

1. Mme de Clèves considère encore comme une « folie » d'avouer ; elle va pourtant bientôt se résoudre à essayer cet ultime remède, qui sera au moins la preuve de sa « sincérité ». Cf. la note de la p. 97.

2. La paix de Cateau-Cambrésis : 3 avril 1659.

3. « En même temps » n'est pas tout à fait exact. Mme Élisabeth épousera Philippe II le 22 juin 1659, et Madame sœur du Roi le duc de Savoie le 9 juillet, après le tournoi fatal.

raient reçus, et dont le peuple pourrait être spectateur. Tous les princes et les jeunes seigneurs entrèrent avec joie dans le dessein du Roi, et surtout le duc de Ferrare, M. de Guise et M. de Nemours, qui surpassaient tous les autres dans ces sortes d'exercices. Le Roi les choisit pour être avec lui les quatre tenants du tournoi.

L'on fit publier, par tout le royaume, qu'en la ville de Paris le pas[1] était ouvert, au quinzième juin, par Sa Majesté Très Chrétienne et par les princes Alphonse d'Este, duc de Ferrare, François de Lorraine, duc de Guise, et Jacques de Savoie, duc de Nemours, pour être tenu contre tous venants, à commencer le premier combat, à cheval en lice[2], en double pièce[3], quatre coups de lance et un pour les dames ; le deuxième combat, à coups d'épée, un à un ou deux à deux, à la volonté des maîtres de camp[4] ; le troisième combat à pied, trois coups de pique et six coups d'épée ; que les tenants fourniraient de lances, d'épées et de piques, au choix des assaillants ; et que, si en courant on donnait au cheval[5], on serait mis hors des rangs ; qu'il y aurait quatre maîtres de camp pour donner les ordres et que ceux des assaillants qui auraient le plus rompu[6] et le mieux fait, auraient un

1. « Pas » : lieu de passage défendu par un chevalier (« tenant ») et que son adversaire (« venant ») doit essayer de prendre. La description du tournoi qui suit est empruntée à Matthieu et Mézeray.
2. « Lice » : le champ clos du tournoi.
3. « Double pièce » : armure en deux parties.
4. « Maître de camp » : l'ordonnateur du tournoi.
5. « Donner au cheval » : piquer le cheval avec l'éperon.
6. « Rompre » : rompre une lance, d'où : affronter un adversaire en combat singulier.

prix dont la valeur serait à la discrétion des juges ; que tous les assaillants, tant français qu'étrangers, seraient tenus de venir toucher à l'un des écus qui seraient pendus au perron au bout de la lice, ou à plusieurs, selon leur choix ; que là ils trouveraient un officier d'armes, qui les recevrait pour les enrôler selon leur rang et selon les écus qu'ils auraient touchés ; que les assaillants seraient tenus de faire apporter par un gentilhomme leur écu, avec leurs armes, pour le pendre au perron trois jours avant le commencement du tournoi ; qu'autrement, ils n'y seraient point reçus sans le congé[1] des tenants.

On fit faire une grande lice proche de la Bastille qui venait du château des Tournelles, qui traversait la rue Saint-Antoine et qui allait rendre aux écuries royales. Il y avait des deux côtés des échafauds[2] et des amphithéâtres, avec des loges couvertes qui formaient des espèces de galeries qui faisaient un très bel effet à la vue et qui pouvaient contenir un nombre infini de personnes. Tous les princes et seigneurs ne furent plus occupés que du soin d'ordonner ce qui leur était nécessaire pour paraître avec éclat et pour mêler, dans leurs chiffres[3] ou dans leurs devises, quelque chose de galant qui eût rapport aux personnes qu'ils aimaient.

Peu de jours avant l'arrivée du duc d'Albe, le Roi fit une partie de paume avec M. de Nemours, le chevalier de Guise et le vidame de Chartres. Les reines les allèrent

1. « Congé » : permission.
2. « Échafaud » : au sens originel, gradin dressé pour permettre aux spectateurs d'assister à une cérémonie.
3. « Chiffres » : initiales.

voir jouer, suivies de toutes les dames et, entre autres, de Mme de Clèves. Après que la partie fut finie, comme l'on sortait du jeu de paume, Chastelart s'approcha de la Reine Dauphine et lui dit que le hasard lui venait de mettre entre les mains une lettre de galanterie qui était tombée de la poche de M. de Nemours. Cette reine, qui avait toujours de la curiosité pour ce qui regardait ce prince, dit à Chastelart de la lui donner ; elle la prit et suivit la Reine, sa belle-mère, qui s'en allait avec le Roi voir travailler à la lice. Après que l'on y eut été quelque temps, le Roi fit amener des chevaux qu'il avait fait venir depuis peu. Quoiqu'ils ne fussent pas encore dressés, il les voulut monter, et en fit donner à tous ceux qui l'avaient suivi. Le Roi et M. de Nemours se trouvèrent sur les plus fougueux ; ces chevaux se voulurent jeter l'un à l'autre. M. de Nemours, par la crainte de blesser le Roi, recula brusquement et porta son cheval contre un pilier du manège, avec tant de violence que la secousse le fit chanceler. On courut à lui, et on le crut considérablement blessé. Mme de Clèves le crut encore plus blessé que les autres. L'intérêt qu'elle y prenait lui donna une appréhension et un trouble qu'elle ne songea pas à cacher ; elle s'approcha de lui avec les reines et, avec un visage si changé qu'un homme moins intéressé que le chevalier de Guise s'en fût aperçu ; aussi le remarqua-t-il aisément, et il eut bien plus d'attention à l'état où était Mme de Clèves qu'à celui où était M. de Nemours. Le coup que ce prince s'était donné lui causa un si grand éblouissement qu'il demeura quelque temps la tête penchée sur ceux qui le soutenaient. Quand il la releva, il vit d'abord Mme de Clèves ; il connut sur son visage la pitié qu'elle avait de lui et il la regarda d'une sorte qui put lui faire juger combien il en était touché. Il fit ensuite des remerciements aux reines de la bonté qu'elles lui témoignaient et des excuses de l'état où il avait été devant elles. Le Roi lui ordonna de s'aller reposer.

Mme de Clèves, après être remise de la frayeur qu'elle avait eue, fit bientôt réflexion aux marques qu'elle en avait données. Le chevalier de Guise ne la laissa pas longtemps dans l'espérance que personne ne s'en serait aperçu ; il lui donna la main pour la conduire hors de la lice.

— Je suis plus à plaindre que M. de Nemours, Madame, lui dit-il ; pardonnez-moi si je sors de ce profond respect que j'ai toujours eu pour vous, et si je vous fais paraître la vive douleur que je sens de ce que je viens de voir : c'est la première fois que j'ai été assez hardi pour vous parler et ce sera aussi la dernière. La mort, ou du moins un éloignement éternel, m'ôteront d'un lieu où je ne puis plus vivre puisque je viens de perdre la triste consolation de croire que tous ceux qui osent vous regarder sont aussi malheureux que moi.

Mme de Clèves ne répondit que quelques paroles mal arrangées, comme si elle n'eût pas entendu ce que signifiaient celles du chevalier de Guise. Dans un autre temps elle aurait été offensée qu'il lui eût parlé de sentiments qu'il avait pour elle ; mais dans ce moment elle ne sentit que l'affliction de voir qu'il s'était aperçu de ceux qu'elle avait pour M. de Nemours. Le chevalier de Guise en fut si convaincu et si pénétré de douleur que, dès ce jour, il prit la résolution de ne penser jamais à

être aimé de Mme de Clèves. Mais pour quitter cette
entreprise, qui lui avait paru si difficile et si glorieuse,
il en fallait quelque autre dont la grandeur pût l'occuper.
Il se mit dans l'esprit de prendre Rhodes, dont il avait
déjà eu quelque pensée ; et, quand la mort l'ôta du
monde dans la fleur de sa jeunesse et dans le temps qu'il
avait acquis la réputation d'un des plus grands princes
de son siècle, le seul regret qu'il témoigna de quitter la
vie, fut de n'avoir pu exécuter une si belle résolution,
dont il croyait le succès infaillible par tous les soins
qu'il en avait pris.

Mme de Clèves, en sortant de la lice, alla chez la
Reine, l'esprit bien occupé de ce qui s'était passé.
M. de Nemours y vint peu de temps après, habillé
magnifiquement et comme un homme qui ne se sentait
pas de l'accident qui lui était arrivé. Il paraissait même
plus gai que de coutume ; et la joie de ce qu'il croyait
avoir vu, lui donnait un air qui augmentait encore son
agrément. Tout le monde fut surpris lorsqu'il entra, et il
n'y eut personne qui ne lui demandât de ses nouvelles, excepté Mme de Clèves qui demeura auprès de
la cheminée sans faire semblant de le voir. Le Roi sortit
d'un cabinet où il était et, le voyant parmi les autres,
il l'appela pour lui parler de son aventure. M. de Nemours passa auprès de Mme de Clèves et lui dit tout
bas :

— J'ai reçu aujourd'hui des marques de votre pitié,
Madame ; mais ce n'est pas de celles dont je suis le plus
digne.

Mme de Clèves s'était bien doutée que ce prince
s'était aperçu de la sensibilité qu'elle avait eue pour lui

et ses paroles lui firent voir qu'elle ne s'était pas trompée. Ce lui était une grande douleur de voir qu'elle
n'était plus maîtresse de cacher ses sentiments et de les
avoir laissés paraître au chevalier de Guise. Elle en avait
aussi beaucoup que M. de Nemours les connût ; mais
cette dernière douleur n'était pas si entière et elle était
mêlée de quelque sorte de douceur.

La Reine Dauphine, qui avait une extrême impatience
de savoir ce qu'il y avait dans la lettre que Chastelart
lui avait donnée, s'approcha de Mme de Clèves :

— Allez lire cette lettre, lui dit-elle ; elle s'adresse à
M. de Nemours et, selon les apparences, elle est de cette
maîtresse pour qui il a quitté toutes les autres. Si vous
ne la pouvez lire présentement, gardez-la ; venez ce soir
à mon coucher pour me la rendre et pour me dire si vous
en connaissez l'écriture.

Mme la Dauphine quitta Mme de Clèves après ces
paroles et la laissa si étonnée et dans un si grand saisissement qu'elle fut quelque temps sans pouvoir sortir de
sa place. L'impatience et le trouble où elle était ne lui
permirent pas de demeurer chez la Reine ; elle s'en alla
chez elle, quoiqu'il ne fût pas l'heure où elle avait accoutumé de se retirer. Elle tenait cette lettre avec une
main tremblante ; ses pensées étaient si confuses qu'elle
n'en avait aucune distincte ; et elle se trouvait dans une
sorte de douleur insupportable, qu'elle ne connaissait
point et qu'elle n'avait jamais sentie. Sitôt qu'elle fut
dans son cabinet, elle ouvrit cette lettre, et la trouva
telle :

LETTRE

Je vous ai trop aimé pour vous laisser croire que le changement qui vous paraît en moi soit un effet de ma légèreté ; je veux vous apprendre que votre infidélité en est la cause. Vous êtes bien surpris que je vous parle de votre infidélité ; vous me l'aviez cachée avec tant d'adresse, et j'ai pris tant de soin de vous cacher que je la savais, que vous avez raison d'être étonné qu'elle me soit connue. Je suis surprise moi-même que j'aie pu ne vous en rien faire paraître. Jamais douleur n'a été pareille à la mienne. Je croyais que vous aviez pour moi une passion violente ; je ne vous cachais plus celle que j'avais pour vous et, dans le temps que je vous la laissais voir tout entière, j'appris que vous me trompiez, que vous en aimiez une autre et que, selon toutes les apparences, vous me sacrifiiez à cette nouvelle maîtresse. Je le sus le jour de la course de bague ; c'est ce qui fit que je n'y allai point. Je feignis d'être malade pour cacher le désordre de mon esprit ; mais je le devins en effet et mon corps ne put supporter une si violente agitation. Quand je commençai à me porter mieux, je feignis encore d'être fort mal, afin d'avoir un prétexte de ne vous point voir et de ne vous point écrire. Je voulus avoir du temps pour résoudre de quelle sorte j'en devais user avec vous ; je pris et je quittai vingt fois les mêmes résolutions ; mais enfin je vous trouvai indigne de voir ma douleur et je résolus de ne vous la point faire paraître. Je voulus blesser votre orgueil en vous faisant voir que ma passion s'affaiblissait d'elle-même.

*Je crus diminuer par là le prix du sacrifice que vous en
faisiez ; je ne voulus pas que vous eussiez le plaisir de
montrer combien je vous aimais pour en paraître plus
aimable. Je résolus de vous écrire des lettres tièdes et
languissantes pour jeter dans l'esprit de celle à qui vous
les donniez que l'on cessait de vous aimer. Je ne voulus
pas qu'elle eût le plaisir d'apprendre que je savais
qu'elle triomphait de moi, ni augmenter son triomphe
par mon désespoir et par mes reproches. Je pensai que
je ne vous punirais pas assez en rompant avec vous et
que je ne vous donnerais qu'une légère douleur si je
cessais de vous aimer lorsque vous ne m'aimiez plus. Je
trouvai qu'il fallait que vous m'aimassiez pour sentir le
mal de n'être point aimé, que j'éprouvais si cruellement.
Je crus que si quelque chose pouvait rallumer les sentiments que vous aviez eus pour moi, c'était de vous faire
voir que les miens étaient changés ; mais de vous le
faire voir en feignant de vous le cacher, et comme si je
n'eusse pas eu la force de vous l'avouer. Je m'arrêtai à
cette résolution ; mais qu'elle me fut difficile à prendre,
et qu'en vous revoyant elle me parut impossible à exécuter ! Je fus prête cent fois à éclater par mes reproches
et par mes pleurs ; l'état où j'étais encore par ma santé
me servit à vous déguiser mon trouble et mon affliction.
Je fus soutenue ensuite par le plaisir de dissimuler avec
vous, comme vous dissimuliez avec moi ; néanmoins, je
me faisais une si grande violence pour vous dire et pour
vous écrire que je vous aimais que vous vîtes plus tôt
que je n'avais eu dessein de vous laisser voir que mes
sentiments étaient changés. Vous en fûtes blessé ; vous
vous en plaignîtes. Je tâchais de vous rassurer ; mais*

c'était d'une manière si forcée que vous en étiez encore
mieux persuadé que je ne vous aimais plus. Enfin, je fis
tout ce que j'avais eu intention de faire. La bizarrerie
de votre cœur vous fit revenir vers moi, à mesure que
vous voyiez que je m'éloignais de vous. J'ai joui de tout
le plaisir que peut donner la vengeance ; il m'a paru
que vous m'aimiez mieux que vous n'aviez jamais fait et
je vous ai fait voir que je ne vous aimais plus. J'ai eu
lieu de croire que vous aviez entièrement abandonné
celle pour qui vous m'aviez quittée. J'ai eu aussi des
raisons pour être persuadée que vous ne lui aviez
jamais parlé de moi ; mais votre retour et votre discré-
tion n'ont pu réparer votre légèreté. Votre cœur a été
partagé entre moi et une autre, vous m'avez trompée ;
cela suffit pour m'ôter le plaisir d'être aimée de vous,
comme je croyais mériter de l'être, et pour me laisser
dans cette résolution que j'ai prise de ne vous voir
jamais et dont vous êtes si surpris.

Mme de Clèves lut cette lettre et la relut plusieurs
fois, sans savoir néanmoins ce qu'elle avait lu. Elle
voyait seulement que M. de Nemours ne l'aimait pas
comme elle l'avait pensé et qu'il en aimait d'autres qu'il
trompait comme elle. Quelle vue [1] et quelle connaissance
pour une personne de son humeur, qui avait une passion
violente, qui venait d'en donner des marques à un
homme qu'elle en jugeait indigne et à un autre qu'elle
maltraitait pour l'amour de lui ! Jamais affliction n'a été
si piquante et si vive : il lui semblait que ce qui faisait

---

1. « Vue » : idée, représentation.

l'aigreur de cette affliction était ce qui s'était passé dans cette journée et que, si M. de Nemours n'eût point eu lieu de croire qu'elle l'aimait, elle ne se fût pas souciée qu'il en eût aimé une autre. Mais elle se trompait elle-même[1] ; et ce mal, qu'elle trouvait si insupportable, était la jalousie avec toutes les horreurs dont elle peut être accompagnée. Elle voyait par cette lettre que M. de Nemours avait une galanterie depuis longtemps. Elle trouvait que celle qui avait écrit la lettre avait de l'esprit et du mérite ; elle lui paraissait digne d'être aimée ; elle lui trouvait plus de courage qu'elle ne s'en trouvait à elle-même et elle enviait la force qu'elle avait eue de cacher ses sentiments à M. de Nemours. Elle voyait, par la fin de la lettre, que cette personne se croyait aimée ; elle pensait que la discrétion que ce prince lui avait fait paraître, et dont elle avait été si touchée, n'était peut-être que l'effet de la passion qu'il avait pour cette autre personne à qui il craignait de déplaire. Enfin elle pensait tout ce qui pouvait augmenter son affliction et son désespoir. Quels retours ne fit-elle point sur elle-même ! quelles réflexions sur les conseils que sa mère lui avait donnés ! Combien se repentit-elle de ne s'être pas opiniâtrée à se séparer du commerce du monde, malgré M. de Clèves, ou de n'avoir pas suivi la pensée qu'elle avait eue de lui avouer l'inclination qu'elle avait pour

---

1. Une des rares interventions directes de Mme de Lafayette dans son récit. Valincour fait observer que si le narrateur se présente comme un simple historien, il ne peut pas prétendre connaître les sentiments intimes de ses personnages. Sur ce sujet intéressant du point de vue théorique, voir les remarques de J. Rousset dans *Forme et signification*, p. 36-44.

M. de Nemours ! Elle trouvait qu'elle aurait mieux fait
de la découvrir à un mari dont elle connaissait la bonté,
et qui aurait eu intérêt à la cacher, que de la laisser voir
à un homme qui en était indigne, qui la trompait, qui la
sacrifiait peut-être et qui ne pensait à être aimé d'elle
que par un sentiment d'orgueil et de vanité. Enfin, elle
trouva que tous les maux qui lui pouvaient arriver, et
toutes les extrémités où elle se pouvait porter, étaient
moindres que d'avoir laissé voir à M. de Nemours
qu'elle l'aimait et de connaître qu'il en aimait une autre.
Tout ce qui la consolait était de penser au moins,
qu'après cette connaissance, elle n'avait plus rien à
craindre d'elle-même, et qu'elle serait entièrement guérie de l'inclination qu'elle avait pour ce prince.

Elle ne pensa guère à l'ordre que Mme la Dauphine
lui avait donné de se trouver à son coucher ; elle se mit
au lit et feignit de se trouver mal, en sorte que, quand
M. de Clèves revint de chez le Roi, on lui dit qu'elle
était endormie ; mais elle était bien éloignée de la tranquillité qui conduit au sommeil. Elle passa la nuit sans
faire autre chose que s'affliger et relire la lettre qu'elle
avait entre les mains.

Mme de Clèves n'était pas la seule personne dont
cette lettre troublait le repos. Le vidame de Chartres, qui
l'avait perdue, et non pas M. de Nemours, en était dans
une extrême inquiétude ; il avait passé tout le soir chez
M. de Guise, qui avait donné un grand souper au duc de
Ferrare, son beau-frère, et à toute la jeunesse de la Cour.
Le hasard fit qu'en soupant on parla de jolies lettres. Le
vidame de Chartres dit qu'il en avait une sur lui, plus
jolie que toutes celles qui avaient jamais été écrites. On

le pressa de la montrer : il s'en défendit. M. de Nemours lui soutint qu'il n'en avait point et qu'il ne parlait que par vanité. Le Vidame lui répondit qu'il poussait sa discrétion à bout, que néanmoins il ne montrerait pas la lettre, mais qu'il en lirait quelques endroits, qui feraient juger que peu d'hommes en recevaient de pareilles. En même temps, il voulut prendre cette lettre, et ne la trouva point ; il la chercha inutilement, on lui en fit la guerre ; mais il parut si inquiet que l'on cessa de lui en parler. Il se retira plus tôt que les autres, et s'en alla chez lui avec impatience, pour voir s'il n'y avait point laissé la lettre qui lui manquait. Comme il la cherchait encore, un premier valet de chambre de la Reine le vint trouver, pour lui dire que la vicomtesse d'Uzès avait cru nécessaire de l'avertir en diligence que l'on avait dit chez la reine qu'il était tombé une lettre de galanterie de sa poche pendant qu'il était au jeu de paume ; que l'on avait raconté une grande partie de ce qui était dans la lettre ; que la Reine avait témoigné beaucoup de curiosité de la voir ; qu'elle l'avait envoyé demander à un de ses gentilshommes servants, mais qu'il avait répondu qu'il l'avait laissée entre les mains de Chastelart.

Le premier valet de chambre dit encore beaucoup d'autres choses au vidame de Chartres, qui achevèrent de lui donner un grand trouble. Il sortit à l'heure même pour aller chez un gentilhomme qui était ami intime de Chastelart ; il le fit lever, quoique l'heure fût extraordinaire, pour aller demander cette lettre, sans dire qui était celui qui la demandait et qui l'avait perdue. Chastelart, qui avait l'esprit prévenu qu'elle était à M. de Nemours et que ce prince était amoureux de Mme la Dauphine, ne

douta point que ce ne fût lui qui la faisait redemander. Il
répondit, avec une maligne joie, qu'il avait remis la
lettre entre les mains de la Reine Dauphine. Le gentilhomme vint faire cette réponse au vidame de Chartres.
Elle augmenta l'inquiétude qu'il avait déjà, et y en joignit encore de nouvelles ; après avoir été longtemps irré-
solu sur ce qu'il devait faire, il trouva qu'il n'y avait
que M. de Nemours qui pût lui aider à sortir de l'embarras où il était.

Il s'en alla chez lui et entra dans sa chambre que[1] le
jour ne commençait qu'à paraître. Ce prince dormait
d'un sommeil tranquille ; ce qu'il avait vu, le jour précédent, de Mme de Clèves, ne lui avait donné que des
idées agréables. Il fut bien surpris de se voir éveillé par
le vidame de Chartres ; et il lui demanda si c'était pour
se venger de ce qu'il lui avait dit pendant le souper qu'il
venait troubler son repos. Le Vidame lui fit bien juger,
par son visage, qu'il n'y avait rien que de sérieux au
sujet qui l'amenait.

— Je viens vous confier la plus importante affaire de
ma vie, lui dit-il. Je sais bien que vous ne m'en devez
pas être obligé, puisque c'est dans un temps où j'ai besoin de votre secours ; mais je sais bien aussi que j'aurais perdu de votre estime si je vous avais appris tout ce
que je vais vous dire, sans que la nécessité m'y eût contraint. J'ai laissé tomber cette lettre dont je parlais hier
au soir ; il m'est d'une conséquence extrême que personne ne sache qu'elle s'adresse à moi. Elle a été vue
de beaucoup de gens qui étaient dans le jeu de paume

---

1. « Que » : alors que. Voir aussi p. 227.

où elle tomba hier ; vous y étiez aussi et je vous demande en grâce de vouloir bien dire que c'est vous qui l'avez perdue.

— Il faut que vous croyiez que je n'ai point de maîtresse, reprit M. de Nemours en souriant, pour me faire une pareille proposition et pour vous imaginer qu'il n'y ait personne avec qui je me puisse brouiller en laissant croire que je reçois de pareilles lettres.

— Je vous prie, dit le Vidame, écoutez-moi sérieusement. Si vous avez une maîtresse, comme je n'en doute point, quoique je ne sache pas qui elle est, il vous sera aisé de vous justifier et je vous en donnerai les moyens infaillibles ; quand vous ne vous justifieriez pas auprès d'elle, il ne vous en peut coûter que d'être brouillé pour quelques moments. Mais moi, par cette aventure, je déshonore une personne qui m'a passionnément aimé et qui est une des plus estimables femmes du monde ; et, d'un autre côté, je m'attire une haine implacable, qui me coûtera ma fortune et peut-être quelque chose de plus.

— Je ne puis entendre tout ce que vous me dites, répondit M. de Nemours ; mais vous me faites entrevoir que les bruits qui ont couru de l'intérêt qu'une grande princesse prenait à vous, ne sont pas entièrement faux.

— Ils ne le sont pas aussi, repartit le vidame de Chartres ; et plût à Dieu qu'ils le fussent, je ne me trouverais pas dans l'embarras où je me trouve ; mais il faut vous raconter tout ce qui s'est passé, pour vous faire voir tout ce que j'ai à craindre[1].

---

1. Début de la quatrième digression. L'histoire du vidame de Chartres est la seule qui trouve grâce auprès de Valincour.

Depuis que je suis à la Cour, la Reine m'a toujours traité avec beaucoup de distinction et d'agrément, et j'avais eu lieu de croire qu'elle avait de la bonté pour moi ; néanmoins, il n'y avait rien de particulier, et je n'avais jamais songé à avoir d'autres sentiments pour elle que ceux du respect. J'étais même fort amoureux de Mme de Thémines ; il est aisé de juger en la voyant qu'on peut avoir beaucoup d'amour pour elle quand on en est aimé, et je l'étais. Il y a près de deux ans que, comme la Cour était à Fontainebleau, je me trouvai deux ou trois fois en conversation avec la Reine, à des heures où il y avait très peu de monde. Il me parut que mon esprit lui plaisait et qu'elle entrait dans tout ce que je disais. Un jour, entre autres, on se mit à parler de la confiance. Je dis qu'il n'y avait personne en qui j'en eusse une entière ; que je trouvais que l'on se repentait toujours d'en avoir et que je savais beaucoup de choses dont je n'avais jamais parlé. La Reine me dit qu'elle m'en estimait davantage ; qu'elle n'avait trouvé personne en France qui eût du secret[1] et que c'était ce qui l'avait le plus embarrassée, parce que cela lui avait ôté le plaisir de donner sa confiance ; que c'était une chose nécessaire, dans la vie, que d'avoir quelqu'un à qui on pût parler, et surtout pour les personnes de son rang. Les jours suivants, elle reprit encore plusieurs fois la même conversation ; elle m'apprit même des choses assez particulières qui se passaient. Enfin, il me sembla qu'elle souhaitait de s'assurer de mon secret et qu'elle avait envie de me confier les siens. Cette pensée m'attacha à

---

1. « Avoir du secret » : être parfaitement discret.

elle, je fus touché de cette distinction et je lui fis ma cour avec beaucoup plus d'assiduité que je n'avais accoutumé. Un soir que le Roi et toutes les dames s'étaient allés promener à cheval dans la forêt, où elle n'avait pas voulu aller parce qu'elle s'était trouvée un peu mal, je demeurai auprès d'elle ; elle descendit au bord de l'étang et quitta la main de ses écuyers pour marcher avec plus de liberté. Après qu'elle eut fait quelques tours, elle s'approcha de moi, et m'ordonna de la suivre.

— Je veux vous parler, me dit-elle ; et vous verrez, par ce que je veux vous dire, que je suis de vos amies. Elle s'arrêta à ces paroles, et me regardant fixement :

— Vous êtes amoureux, continua-t-elle, et, parce que vous ne vous fiez peut-être à personne, vous croyez que votre amour n'est pas su ; mais il est connu, et même des personnes intéressées. On vous observe, on sait les lieux où vous voyez votre maîtresse, on a dessein de vous y surprendre. Je ne sais qui elle est ; je ne vous le demande point et je veux seulement vous garantir des malheurs où vous pouvez tomber. Voyez, je vous prie, quel piège me tendait la Reine et combien il était difficile de n'y pas tomber. Elle voulait savoir si j'étais amoureux ; et en ne me demandant point de qui je l'étais et, en ne me laissant voir que la seule intention de me faire plaisir, elle m'ôtait la pensée qu'elle me parlât par curiosité ou par dessein.

Cependant, contre toutes sortes d'apparences, je démêlai la vérité. J'étais amoureux de Mme de Thémines ; mais, quoiqu'elle m'aimât, je n'étais pas assez heureux pour avoir des lieux particuliers à la voir et pour craindre d'y être surpris ; et ainsi je vis bien que ce ne pou-

vait être elle dont la Reine voulait parler. Je savais bien
aussi que j'avais un commerce de galanterie avec une
autre femme moins belle et moins sévère que Mme de
Thémines, et qu'il n'était pas impossible que l'on eût
découvert le lieu où je la voyais ; mais, comme je m'en
souciais peu, il m'était aisé de me mettre à couvert de
toutes sortes de périls en cessant de la voir. Ainsi je pris
le parti de ne rien avouer à la Reine et de l'assurer, au
contraire, qu'il y avait très longtemps que j'avais abandonné le désir de me faire aimer des femmes dont je
pouvais espérer de l'être, parce que je les trouvais quasi
toutes indignes d'attacher un honnête homme et qu'il
n'y avait que quelque chose fort au-dessus d'elles qui
pût m'engager. — Vous ne me répondez pas sincèrement, répliqua la Reine ; je sais le contraire de ce que
vous me dites. La manière dont je vous parle vous doit
obliger à ne me rien cacher. Je veux que vous soyez de
mes amis, continua-t-elle ; mais je ne veux pas, en vous
donnant cette place, ignorer quels sont vos attachements.
Voyez si vous la voulez acheter au prix de me les apprendre : je vous donne deux jours pour y penser ; mais,
après ce temps-là, songez bien à ce que vous me direz,
et souvenez-vous que si, dans la suite, je trouve que
vous m'ayez trompée, je ne vous le pardonnerai de ma
vie.

La Reine me quitta après m'avoir dit ces paroles, sans
attendre ma réponse. Vous pouvez croire que je demeurai l'esprit bien rempli de ce qu'elle me venait de dire.
Les deux jours qu'elle m'avait donnés pour y penser ne
me parurent pas trop longs pour me déterminer. Je
voyais qu'elle voulait savoir si j'étais amoureux et

qu'elle ne souhaitait pas que je le fusse. Je voyais les
suites et les conséquences du parti que j'allais prendre ;
ma vanité n'était pas peu flattée d'une liaison particulière avec une reine, et une reine dont la personne est
encore extrêmement aimable. D'un autre côté, j'aimais
Mme de Thémines et, quoique je lui fisse une espèce
d'infidélité pour cette autre femme dont je vous ai parlé,
je ne me pouvais résoudre à rompre avec elle. Je voyais
aussi le péril où je m'exposais en trompant la Reine et
combien il était difficile de la tromper ; néanmoins, je
ne pus me résoudre à refuser ce que la fortune m'offrait
et je pris le hasard[1] de tout ce que ma mauvaise conduite pouvait m'attirer. Je rompis avec cette femme dont
on pouvait découvrir le commerce, et j'espérai de cacher
celui que j'avais avec Mme de Thémines.

Au bout des deux jours que la Reine m'avait donnés,
comme j'entrais dans la chambre où toutes les dames
étaient au cercle, elle me dit tout haut, avec un air grave
qui me surprit : Avez-vous pensé à cette affaire dont je
vous ai chargé et en savez-vous la vérité ? — Oui, Madame, lui répondis-je, et elle est comme je l'ai dite à
Votre Majesté. — Venez ce soir à l'heure que je dois
écrire, répliqua-t-elle, et j'achèverai de vous donner mes
ordres. Je fis une profonde révérence sans rien répondre
et ne manquai pas de me trouver à l'heure qu'elle
m'avait marquée. Je la trouvai dans la galerie où étaient
son secrétaire et quelqu'une de ses femmes. Sitôt qu'elle
me vit, elle vint à moi et me mena à l'autre bout de la
galerie. — Eh bien ! me dit-elle, est-ce après y avoir

---

1. « Hasard » : ici, comme en plusieurs endroits du roman
(p. 236, par exemple), le mot est pris au sens de « risque ».

bien pensé que vous n'avez rien à me dire, et la manière
dont j'en use avec vous ne mérite-t-elle pas que vous me
parliez sincèrement ? — C'est parce que je vous parle
sincèrement, Madame, lui répondis-je, que je n'ai rien à
vous dire ; et je jure à Votre Majesté, avec tout le respect que je lui dois, que je n'ai d'attachement pour aucune femme de la Cour. — Je le veux croire, repartit la
Reine, parce que je le souhaite ; et je le souhaite, parce
que je désire que vous soyez entièrement attaché à moi,
et qu'il serait impossible que je fusse contente de votre
amitié si vous étiez amoureux. On ne peut se fier à ceux
qui le sont ; on ne peut s'assurer de leur secret. Ils sont
trop distraits et trop partagés, et leur maîtresse leur fait
une première occupation qui ne s'accorde point avec la
manière dont je veux que vous soyez attaché à moi.
Souvenez-vous donc que c'est sur la parole que vous me
donnez, que vous n'avez aucun engagement, que je vous
choisis pour vous donner toute ma confiance. Souvenez-
vous que je veux la vôtre tout entière ; que je veux que
vous n'ayez ni ami, ni amie, que ceux qui me seront
agréables, et que vous abandonniez tout autre soin que
celui de me plaire. Je ne vous ferai pas perdre celui de
votre fortune ; je la conduirai avec plus d'application
que vous-même et, quoi que je fasse pour vous, je m'en
tiendrai trop bien récompensée, si je vous trouve pour
moi tel que je l'espère. Je vous choisis pour vous confier
tous mes chagrins et pour m'aider à les adoucir. Vous
pouvez juger qu'ils ne sont pas médiocres. Je souffre en
apparence, sans beaucoup de peine, l'attachement du
Roi pour la duchesse de Valentinois ; mais il m'est insupportable. Elle gouverne le Roi, elle le trompe, elle

me méprise, tous mes gens sont à elle. La Reine, ma belle-fille, fière de sa beauté et du crédit de ses oncles, ne me rend aucun devoir. Le connétable de Montmorency est maître du Roi et du royaume ; il me hait, et m'a donné des marques de sa haine que je ne puis oublier. Le maréchal de Saint-André est un jeune favori audacieux, qui n'en use pas mieux avec moi que les autres. Le détail de mes malheurs vous ferait pitié ; je n'ai osé jusqu'ici me fier à personne, je me fie à vous ; faites que je ne m'en repente point et soyez ma seule consolation. Les yeux de la Reine rougirent en achevant ces paroles ; je pensai me jeter à ses pieds tant je fus véritablement touché de la bonté qu'elle me témoignait. Depuis ce jour-là, elle eut en moi une entière confiance ; elle ne fit plus rien sans m'en parler et j'ai conservé une liaison qui dure encore.

TROISIÈME PARTIE

Cependant, quelque rempli et quelque occupé que je fusse de cette nouvelle liaison avec la Reine, je tenais à Mme de Thémines par une inclination naturelle que je ne pouvais vaincre. Il me parut qu'elle cessait de m'aimer et, au lieu que, si j'eusse été sage, je me fusse servi du changement qui paraissait en elle pour aider à me guérir, mon amour en redoubla et je me conduisais si mal que la Reine eut quelque connaissance de cet attachement. La jalousie est naturelle aux personnes de sa nation, et peut-être que cette princesse a pour moi des sentiments plus vifs qu'elle ne pense elle-même. Mais enfin le bruit que j'étais amoureux lui donna de si grandes inquiétudes et de si grands chagrins que je me crus cent fois perdu auprès d'elle. Je la rassurai enfin à force de soins, de soumissions et de faux serments ; mais je n'aurais pu la tromper longtemps si le changement de Mme de Thémines ne m'avait détaché d'elle malgré moi. Elle me fit voir qu'elle ne m'aimait plus ; et j'en fus si persuadé que je fus contraint de ne la pas tourmenter davantage et de la laisser en repos. Quelque temps après, elle m'écrivit cette lettre que j'ai perdue.

J'appris par là qu'elle avait su le commerce que j'avais
eu avec cette autre femme dont je vous ai parlé et que
c'était la cause de son changement. Comme je n'avais
plus rien alors qui me partageât, la Reine était assez
contente de moi ; mais comme les sentiments que j'ai
pour elle ne sont pas d'une nature à me rendre incapable
de tout autre attachement et que l'on n'est pas amoureux
par sa volonté, je le suis devenu de Mme de Martigues,
pour qui j'avais déjà eu beaucoup d'inclination pendant
qu'elle était Villemontais, fille de la Reine Dauphine.
J'ai lieu de croire que je n'en suis pas haï ; la discrétion
que je lui fais paraître, et dont elle ne sait pas toutes les
raisons, lui est agréable. La Reine n'a aucun soupçon
sur son sujet ; mais elle en a un autre qui n'est guère
moins fâcheux. Comme Mme de Martigues est toujours
chez la Reine Dauphine, j'y vais aussi beaucoup plus
souvent que de coutume. La Reine s'est imaginé que
c'est de cette princesse que je suis amoureux. Le rang
de la Reine Dauphine, qui est égal au sien, et la beauté
et la jeunesse qu'elle a au-dessus d'elle, lui donnent une
jalousie qui va jusques à la fureur et une haine contre
sa belle-fille qu'elle ne saurait plus cacher. Le cardinal
de Lorraine, qui me paraît depuis longtemps aspirer aux
bonnes grâces de la Reine et qui voit bien que j'occupe
une place qu'il voudrait remplir, sous prétexte de raccommoder Mme la Dauphine avec elle, est entré dans
les différends qu'elles ont eus ensemble. Je ne doute pas
qu'il n'ait démêlé le véritable sujet de l'aigreur de la
Reine et je crois qu'il me rend toutes sortes de mauvais
offices, sans lui laisser voir qu'il a dessein de me les
rendre. Voilà l'état où sont les choses à l'heure que je

vous parle. Jugez quel effet peut produire la lettre que
j'ai perdue, et que mon malheur m'a fait mettre dans ma
poche pour la rendre à Mme de Thémines. Si la Reine
voit cette lettre, elle connaîtra que je l'ai trompée et que
presque dans le temps que je la trompais pour Mme de
Thémines, je trompais Mme de Thémines pour une autre ; jugez quelle idée cela lui peut donner de moi et si
elle peut jamais se fier à mes paroles. Si elle ne voit
point cette lettre, que lui dirai-je ? Elle sait qu'on l'a
remise entre les mains de Mme la Dauphine ; elle croira
que Chastelart a reconnu l'écriture de cette Reine et que
la lettre est d'elle ; elle s'imaginera que la personne dont
on témoigne de la jalousie est peut-être elle-même ; enfin, il n'y a rien qu'elle n'ait lieu de penser et il n'y a
rien que je ne doive craindre de ses pensées. Ajoutez à
cela que je suis vivement touché de Mme de Martigues ;
qu'assurément Mme la Dauphine lui montrera cette
lettre qu'elle croira écrite depuis peu ; ainsi je serai également brouillé, et avec la personne du monde que
j'aime le plus, et avec la personne du monde que je dois
le plus craindre. Voyez après cela si je n'ai pas raison
de vous conjurer de dire que la lettre est à vous, et de
vous demander, en grâce, de l'aller retirer des mains de
Mme la Dauphine.

— Je vois bien, dit M. de Nemours, que l'on ne peut
être dans un plus grand embarras que celui où vous êtes,
et il faut avouer que vous le méritez. On m'a accusé de
n'être pas un amant fidèle et d'avoir plusieurs galanteries à la fois ; mais vous me passez de si loin que je
n'aurais seulement osé imaginer les choses que vous
avez entreprises. Pouviez-vous prétendre de conserver

Mme de Thémines en vous engageant avec la Reine et espériez-vous de vous engager avec la Reine et de la pouvoir tromper ? Elle est italienne et reine, et par conséquent pleine de soupçons, de jalousie et d'orgueil ; quand votre bonne fortune, plutôt que votre bonne conduite, vous a ôté des engagements où vous étiez, vous en avez pris de nouveaux et vous vous êtes imaginé qu'au milieu de la Cour, vous pourriez aimer Mme de Martigues sans que la Reine s'en aperçût. Vous ne pouviez prendre trop de soins de lui ôter la honte d'avoir fait les premiers pas. Elle a pour vous une passion violente ; votre discrétion vous empêche de me le dire et la mienne de vous le demander ; mais enfin elle vous aime, elle a de la défiance, et la vérité est contre vous.

— Est-ce à vous à m'accabler de réprimandes, interrompit le Vidame, et votre expérience ne vous doit-elle pas donner de l'indulgence pour mes fautes ? Je veux pourtant bien convenir que j'ai tort ; mais songez, je vous conjure, à me tirer de l'abîme où je suis. Il me paraît qu'il faudrait que vous vissiez la Reine Dauphine sitôt qu'elle sera éveillée pour lui redemander cette lettre, comme l'ayant perdue.

— Je vous ai déjà dit, reprit M. de Nemours, que la proposition que vous me faites est un peu extraordinaire et que mon intérêt particulier m'y peut faire trouver des difficultés ; mais, de plus, si l'on a vu tomber cette lettre de votre poche, il me paraît difficile de persuader qu'elle soit tombée de la mienne.

— Je croyais vous avoir appris, répondit le Vidame, que l'on a dit à la Reine Dauphine que c'était de la vôtre qu'elle était tombée.

— Comment ! reprit brusquement M. de Nemours, qui vit dans ce moment les mauvais offices que cette méprise lui pouvait faire auprès de Mme de Clèves, l'on a dit à la Reine Dauphine que c'est moi qui ai laissé tomber cette lettre ?

— Oui, reprit le Vidame, on le lui a dit. Et ce qui a fait cette méprise, c'est qu'il y avait plusieurs gentils-hommes des reines dans une des chambres du jeu de paume où étaient nos habits et que vos gens et les miens les ont été quérir. En même temps la lettre est tombée ; ces gentilshommes l'ont ramassée et l'ont lue tout haut. Les uns ont cru qu'elle était à vous et les autres à moi. Chastelart, qui l'a prise et à qui je viens de la faire demander, a dit qu'il l'avait donnée à la Reine Dauphine, comme une lettre qui était à vous ; et ceux qui en ont parlé à la Reine ont dit par malheur qu'elle était à moi ; ainsi vous pouvez faire aisément ce que je souhaite et m'ôter de l'embarras où je suis.

M. de Nemours avait toujours fort aimé le vidame de Chartres, et ce qu'il était à Mme de Clèves le lui rendait encore plus cher. Néanmoins il ne pouvait se résoudre à prendre le hasard qu'elle entendît parler de cette lettre comme d'une chose où il avait intérêt. Il se mit à rêver profondément et le Vidame, se doutant à peu près du sujet de sa rêverie :

— Je vois bien, lui dit-il, que vous craignez de vous brouiller avec votre maîtresse, et même vous me donne-riez lieu de croire que c'est avec la Reine Dauphine si le peu de jalousie que je vous vois de M. d'Anville ne m'en ôtait la pensée ; mais, quoi qu'il en soit, il est juste que vous ne sacrifiiez pas votre repos au mien et je veux bien vous donner les moyens de faire voir à celle que vous aimez que cette lettre s'adresse à moi et non pas à vous : voilà un billet de Mme d'Amboise, qui est amie de Mme de Thémines et à qui elle s'est fiée de tous les sentiments qu'elle a eus pour moi. Par ce billet elle me redemande cette lettre de son amie, que j'ai perdue ; mon nom est sur le billet ; et ce qui est dedans prouve sans aucun doute que la lettre que l'on me redemande est la même que l'on a trouvée. Je vous remets ce billet entre les mains et je consens que vous le montriez à votre maîtresse pour vous justifier. Je vous conjure de ne perdre pas un moment et d'aller, dès ce matin, chez Mme la Dauphine.

M. de Nemours le promit au vidame de Chartres et prit le billet de Mme d'Amboise ; néanmoins son dessein n'était pas de voir la Reine Dauphine et il trouvait qu'il avait quelque chose de plus pressé à faire. Il ne doutait pas qu'elle n'eût déjà parlé de la lettre à Mme de Clèves et il ne pouvait supporter qu'une personne qu'il aimait si éperdument, eût lieu de croire qu'il eût quelque attachement pour une autre.

Il alla chez elle à l'heure qu'il crut qu'elle pouvait être éveillée et lui fit dire qu'il ne demanderait pas à avoir l'honneur de la voir, à une heure si extraordinaire, si une affaire de conséquence ne l'y obligeait. Mme de Clèves était encore au lit, l'esprit aigri et agité de tristes pensées qu'elle avait eues pendant la nuit. Elle fut extrêmement surprise lorsqu'on lui dit que M. de Nemours la demandait ; l'aigreur où elle était ne la fit pas balancer[1]

---

1. « Balancer » : ici, hésiter. Mais p. 153 : contre-balancer.

à répondre qu'elle était malade et qu'elle ne pouvait lui parler.

Ce prince ne fut pas blessé de ce refus : une marque de froideur, dans un temps où elle pouvait avoir de la jalousie, n'était pas un mauvais augure. Il alla à l'appartement de M. de Clèves, et lui dit qu'il venait de celui de Madame sa femme, qu'il était bien fâché de ne la pouvoir entretenir, parce qu'il avait à lui parler d'une affaire importante pour le vidame de Chartres. Il fit entendre en peu de mots à M. de Clèves la conséquence de cette affaire, et M. de Clèves le mena à l'heure même dans la chambre de sa femme. Si elle n'eût point été dans l'obscurité, elle eût eu peine à cacher son trouble et son étonnement de voir entrer M. de Nemours conduit par son mari. M. de Clèves lui dit qu'il s'agissait d'une lettre, où l'on avait besoin de son secours pour les intérêts du Vidame, qu'elle verrait avec M. de Nemours ce qu'il y avait à faire, et que, pour lui, il s'en allait chez le Roi qui venait de l'envoyer quérir.

M. de Nemours demeura seul auprès de Mme de Clèves, comme il le pouvait souhaiter.

— Je viens vous demander, Madame, lui dit-il, si Mme la Dauphine ne vous a point parlé d'une lettre que Chastelart lui remit hier entre les mains.

— Elle m'en a dit quelque chose, répondit Mme de Clèves ; mais je ne vois pas ce que cette lettre a de commun avec les intérêts de mon oncle et je vous puis assurer qu'il n'y est pas nommé.

— Il est vrai, Madame, répliqua M. de Nemours, il n'y est pas nommé ; néanmoins elle s'adresse à lui et il lui est très important que vous la retiriez des mains de Mme la Dauphine.

— J'ai peine à comprendre, reprit Mme de Clèves, pourquoi il lui importe que cette lettre soit vue et pourquoi il faut la redemander sous son nom.

— Si vous voulez vous donner le loisir de m'écouter, Madame, dit M. de Nemours, je vous ferai bientôt voir la vérité et vous apprendrez des choses si importantes pour M. le Vidame que je ne les aurais pas même confiées à M. le prince de Clèves, si je n'avais eu besoin de son secours pour avoir l'honneur de vous voir.

— Je pense que tout ce que vous prendriez la peine de me dire serait inutile, répondit Mme de Clèves avec un air assez sec, et il vaut mieux que vous alliez trouver la Reine Dauphine et que, sans chercher de détours, vous lui disiez l'intérêt que vous avez à cette lettre, puisque aussi bien on lui a dit qu'elle vient de vous.

L'aigreur que M. de Nemours voyait dans l'esprit de Mme de Clèves lui donnait le plus sensible plaisir qu'il eût jamais eu et balançait son impatience de se justifier.

— Je ne sais, Madame, reprit-il, ce qu'on peut avoir dit à Mme la Dauphine ; mais je n'ai aucun intérêt à cette lettre et elle s'adresse à M. le Vidame.

— Je le crois, répliqua Mme de Clèves ; mais on a dit le contraire à la Reine Dauphine et il ne lui paraîtra pas vraisemblable que les lettres de M. le Vidame tombent de vos poches. C'est pourquoi, à moins que vous n'ayez quelque raison que je ne sais point, à cacher la vérité à la Reine Dauphine, je vous conseille de la lui avouer.

— Je n'ai rien à lui avouer, reprit-il ; la lettre ne s'adresse pas à moi et, s'il y a quelqu'un que je souhaite d'en persuader, ce n'est pas Mme la Dauphine. Mais,

Madame, comme il s'agit en ceci de la fortune de M. le Vidame, trouvez bon que je vous apprenne des choses qui sont même dignes de votre curiosité.

Mme de Clèves témoigna par son silence qu'elle était prête à l'écouter, et M. de Nemours lui conta, le plus succinctement qu'il lui fut possible, tout ce qu'il venait d'apprendre du Vidame. Quoique ce fussent des choses propres à donner de l'étonnement et à être écoutées avec attention, Mme de Clèves les entendit avec une froideur si grande qu'il semblait qu'elle ne les crût pas véritables ou qu'elles lui fussent indifférentes. Son esprit demeura dans cette situation jusqu'à ce que M. de Nemours lui parlât du billet de Mme d'Amboise, qui s'adressait au vidame de Chartres et qui était la preuve de tout ce qu'il lui venait de dire. Comme Mme de Clèves savait que cette femme était amie de Mme de Thémines, elle trouva une apparence de vérité à ce que lui disait M. de Nemours, qui lui fit penser que la lettre ne s'adressait peut-être pas à lui. Cette pensée la tira tout d'un coup, et malgré elle, de la froideur qu'elle avait eue jusqu'alors. Ce prince, après lui avoir lu ce billet qui faisait sa justification, le lui présenta pour le lire et lui dit qu'elle en pouvait connaître l'écriture ; elle ne put s'empêcher de le prendre, de regarder le dessus pour voir s'il s'adressait au vidame de Chartres et de le lire tout entier pour juger si la lettre que l'on redemandait était la même qu'elle avait entre les mains. M. de Nemours lui dit encore tout ce qu'il crut propre à la persuader ; et, comme on persuade aisément une vérité agréable, il convainquit Mme de Clèves qu'il n'avait point de part à cette lettre.

Elle commença alors à raisonner avec lui sur l'embarras et le péril où était le Vidame, à le blâmer de sa méchante conduite, à chercher les moyens de le secourir ; elle s'étonna du procédé de la Reine, elle avoua à M. de Nemours qu'elle avait la lettre, enfin, sitôt qu'elle le crut innocent, elle entra avec un esprit ouvert et tranquille dans les mêmes choses qu'elle semblait d'abord ne daigner pas entendre. Ils convinrent qu'il ne fallait point rendre la lettre à la Reine Dauphine, de peur qu'elle ne la montrât à Mme de Martigues, qui connaissait l'écriture de Mme de Thémines et qui aurait aisément deviné par l'intérêt qu'elle prenait au Vidame, qu'elle s'adressait à lui. Ils trouvèrent aussi qu'il ne fallait pas confier à la Reine Dauphine tout ce qui regardait la Reine, sa belle-mère. Mme de Clèves, sous le prétexte des affaires de son oncle, entrait avec plaisir à garder tous les secrets que M. de Nemours lui confiait.

Ce prince ne lui eût pas toujours parlé des intérêts du Vidame, et la liberté où il se trouvait de l'entretenir lui eût donné une hardiesse qu'il n'avait encore osé prendre, si l'on ne fût venu dire à Mme de Clèves que la Reine Dauphine lui ordonnait de l'aller trouver. M. de Nemours fut contraint de se retirer ; il alla trouver le Vidame pour lui dire qu'après l'avoir quitté, il avait pensé qu'il était plus à propos de s'adresser à Mme de Clèves qui était sa nièce que d'aller droit à Mme la Dauphine. Il ne manqua pas de raisons pour faire approuver ce qu'il avait fait et pour en faire espérer un bon succès.

Cependant Mme de Clèves s'habilla en diligence pour aller chez la Reine. À peine parut-elle dans sa chambre, que cette princesse la fit approcher, et lui dit tout bas :

— Il y a deux heures que je vous attends, et jamais je n'ai été si embarrassée à déguiser la vérité que je l'ai été ce matin. La Reine a entendu parler de la lettre que je vous donnai hier ; elle croit que c'est le vidame de Chartres qui l'a laissée tomber. Vous savez qu'elle y prend quelque intérêt ; elle a fait chercher cette lettre, elle l'a fait demander à Chastelart ; il a dit qu'il me l'avait donnée ; on me l'est venu demander sur le pré-texte que c'était une jolie lettre qui donnait de la curio-sité à la Reine. Je n'ai osé dire que vous l'aviez ; je crus qu'elle s'imaginerait que je vous l'avais mise entre les mains à cause du Vidame, votre oncle, et qu'il y aurait une grande intelligence entre lui et moi. Il m'a déjà paru qu'elle souffrait avec peine qu'il me vît souvent, de sorte que j'ai dit que la lettre était dans les habits que j'avais hier et que ceux qui en avaient la clef étaient sortis. Donnez-moi promptement cette lettre, ajouta-t-elle, afin que je la lui envoie et que je la lise avant que de l'envoyer pour voir si je n'en connaîtrai point l'écriture.

Mme de Clèves se trouva encore plus embarrassée qu'elle n'avait pensé.

— Je ne sais, Madame, comment vous ferez, répon-dit-elle ; car M. de Clèves, à qui je l'avais donnée à lire, l'a rendue à M. de Nemours qui est venu dès ce matin le prier de vous la redemander. M. de Clèves a eu l'im-prudence de lui dire qu'il l'avait et il a eu la faiblesse de céder aux prières que M. de Nemours lui a faites de la lui rendre.

— Vous me mettez dans le plus grand embarras où je puisse jamais être, repartit Mme la Dauphine, et vous avez tort d'avoir rendu cette lettre à M. de Nemours ; puisque c'était moi qui vous l'avais donnée, vous ne deviez point la rendre sans ma permission. Que voulez-vous que je dise à la Reine et que pourra-t-elle s'imaginer ? Elle croira, et avec apparence, que cette lettre me regarde et qu'il y a quelque chose entre le Vidame et moi. Jamais on ne lui persuadera que cette lettre soit à M. de Nemours.

— Je suis très affligée, répondit Mme de Clèves, de l'embarras que je vous cause. Je le crois aussi grand qu'il est ; mais c'est la faute de M. de Clèves et non pas la mienne.

— C'est la vôtre, répliqua la Dauphine, de lui avoir donné la lettre, et il n'y a que vous de femme au monde qui fasse confidence à son mari de toutes les choses qu'elle sait.

— Je crois que j'ai tort, Madame, répliqua Mme de Clèves ; mais songez à réparer ma faute et non pas à l'examiner.

— Ne vous souvenez-vous point, à peu près, de ce qui est dans cette lettre ? dit alors la Reine Dauphine.

— Oui, Madame, répondit-elle, je m'en souviens et l'ai relue plus d'une fois.

— Si cela est, reprit Mme la Dauphine, il faut que vous alliez tout à l'heure[1] la faire écrire d'une main inconnue. Je l'enverrai à la Reine : elle ne la montrera pas à ceux qui l'ont vue. Quand elle le ferait, je soutiendrai toujours que c'est celle que Chastelart m'a donnée et il n'oserait dire le contraire.

---

1. « Tout à l'heure » : tout de suite, maintenant.

Mme de Clèves entra dans cet expédient, et d'autant plus qu'elle pensa qu'elle enverrait quérir M. de Nemours pour ravoir la lettre même, afin de la faire copier mot à mot et d'en faire à peu près imiter l'écriture, et elle crut que la Reine y serait infailliblement trompée. Sitôt qu'elle fut chez elle, elle conta à son mari l'embarras de Mme la Dauphine et le pria d'envoyer chercher M. de Nemours. On le chercha ; il vint en diligence. Mme de Clèves lui dit tout ce qu'elle avait déjà appris à son mari et lui demanda la lettre ; mais M. de Nemours répondit qu'il l'avait déjà rendue au vidame de Chartres, qui avait eu tant de joie de la ravoir et de se trouver hors du péril qu'il aurait couru qu'il l'avait renvoyée à l'heure même à l'amie de Mme de Thémines. Mme de Clèves se retrouva dans un nouvel embarras ; et enfin, après avoir bien consulté, ils résolurent de faire la lettre de mémoire. Ils s'enfermèrent pour y travailler ; on donna ordre à la porte de ne laisser entrer personne et on renvoya tous les gens de M. de Nemours. Cet air de mystère et de confidence n'était pas d'un médiocre charme pour ce prince et même pour Mme de Clèves. La présence de son mari et les intérêts du vidame de Chartres la rassuraient en quelque sorte sur ses scrupules. Elle ne sentait que le plaisir de voir M. de Nemours, elle en avait une joie pure et sans mélange qu'elle n'avait jamais sentie : cette joie lui donnait une liberté et un enjouement dans l'esprit que M. de Nemours ne lui avait jamais vus et qui redoublaient son amour. Comme il n'avait point eu encore de si agréables moments, sa vivacité en était augmentée ; et quand Mme de Clèves voulut commencer à se souvenir de la lettre et à l'écrire, ce prince, au lieu de lui aider sérieusement, ne faisait que l'interrompre et lui dire des choses plaisantes. Mme de Clèves entra dans le même esprit de gaieté, de sorte qu'il y avait déjà longtemps qu'ils étaient enfermés, et on était déjà venu deux fois de la part de la Reine Dauphine pour dire à Mme de Clèves de se dépêcher, qu'ils n'avaient pas encore fait la moitié de la lettre.

M. de Nemours était bien aise de faire durer un temps qui lui était si agréable et oubliait les intérêts de son ami. Mme de Clèves ne s'ennuyait pas et oubliait aussi les intérêts de son oncle. Enfin à peine, à quatre heures, la lettre était-elle achevée, et elle était si mal, et l'écriture dont on la fit copier ressemblait si peu à celle que l'on avait eu dessein d'imiter qu'il eût fallu que la Reine n'eût guère pris de soin d'éclaircir la vérité pour ne la pas connaître. Aussi n'y fut-elle pas trompée, quelque soin que l'on prît de lui persuader que cette lettre s'adressait à M. de Nemours. Elle demeura convaincue, non seulement qu'elle était au vidame de Chartres, mais elle crut que la Reine Dauphine y avait part et qu'il y avait quelque intelligence entre eux. Cette pensée augmenta tellement la haine qu'elle avait pour cette princesse qu'elle ne lui pardonna jamais et qu'elle la persécuta jusqu'à ce qu'elle l'eût fait sortir de France [1].

Pour le vidame de Chartres, il fut ruiné auprès d'elle, et, soit que le cardinal de Lorraine se fût déjà rendu maître de son esprit, ou que l'aventure de cette lettre qui lui

1. Marie Stuart devra, en effet, quitter la France après la mort de son mari, François II (5 décembre 1560).

fit voir qu'elle était trompée, lui aidât à démêler les autres tromperies que le Vidame lui avait déjà faites, il est
certain qu'il ne put jamais se raccommoder sincèrement
avec elle. Leur liaison se rompit, et elle le perdit ensuite
à la conjuration d'Amboise où il se trouva embarrassé [1].

Après qu'on eut envoyé la lettre à Mme la Dauphine,
M. de Clèves et M. de Nemours s'en allèrent. Mme de
Clèves demeura seule, et sitôt qu'elle ne fut plus soutenue par cette joie que donne la présence de ce que l'on
aime, elle revint comme d'un songe ; elle regarda avec
étonnement la prodigieuse différence de l'état où elle
était le soir d'avec celui où elle se trouvait alors ; elle
se remit devant les yeux l'aigreur et la froideur qu'elle
avait fait paraître à M. de Nemours, tant qu'elle avait
cru que la lettre de Mme de Thémines s'adressait à lui ;
quel calme et quelle douceur avaient succédé à cette aigreur, sitôt qu'il l'avait persuadée que cette lettre ne le
regardait pas. Quand elle pensait qu'elle s'était reproché
comme un crime, le jour précédent, de lui avoir donné
des marques de sensibilité que la seule compassion pouvait avoir fait naître et que, par son aigreur, elle lui avait
fait paraître des sentiments de jalousie qui étaient des
preuves certaines de passion, elle ne se reconnaissait
plus elle-même. Quand elle pensait encore que M. de
Nemours voyait bien qu'elle connaissait son amour,
qu'il voyait bien aussi que, malgré cette connaissance,
elle ne l'en traitait pas plus mal en présence même de
son mari, qu'au contraire elle ne l'avait jamais regardé
si favorablement, qu'elle était cause que M. de Clèves

1. « Embarrassé » : compromis. Expédié à la Bastille par François II, le vrai vidame de Chartres mourra en 1562.

l'avait envoyé quérir et qu'ils venaient de passer une après-dînée ensemble en particulier, elle trouvait qu'elle était d'intelligence avec M. de Nemours, qu'elle trompait le mari du monde qui méritait le moins d'être trompé, et elle était honteuse de paraître si peu digne d'estime aux yeux même de son amant. Mais, ce qu'elle pouvait moins supporter que tout le reste, était le souvenir de l'état où elle avait passé la nuit, et les cuisantes douleurs que lui avait causées la pensée que M. de Nemours aimait ailleurs et qu'elle était trompée.

Elle avait ignoré jusqu'alors les inquiétudes mortelles de la défiance et de la jalousie ; elle n'avait pensé qu'à se défendre d'aimer M. de Nemours et elle n'avait point encore commencé à craindre qu'il en aimât une autre. Quoique les soupçons que lui avait donnés cette lettre fussent effacés, ils ne laissèrent pas de lui ouvrir les yeux sur le hasard d'être trompée et de lui donner des impressions de défiance et de jalousie qu'elle n'avait jamais eues. Elle fut étonnée de n'avoir point encore pensé combien il était peu vraisemblable qu'un homme comme M. de Nemours, qui avait toujours fait paraître tant de légèreté parmi les femmes, fût capable d'un attachement sincère et durable [1]. Elle trouva qu'il était presque impossible qu'elle pût être contente de sa passion. Mais quand je le pourrais être, disait-elle, qu'en veux-je faire ? Veux-je la souffrir ? Veux-je y répondre ? Veux-je m'engager dans une galanterie ? Veux-je manquer à M. de Clèves ? Veux-je me manquer à moi-même ? Et

---

1. Comme l'observe Valincour, cette remarque n'est guère justifiée à cet endroit du récit. Mais elle prépare le refus final de Mme de Clèves.

veux-je enfin m'exposer aux cruels repentirs et aux mortelles douleurs que donne l'amour ? Je suis vaincue et
surmontée par une inclination qui m'entraîne malgré
moi. Toutes mes résolutions sont inutiles ; je pensai hier
tout ce que je pense aujourd'hui et je fais aujourd'hui
tout le contraire de ce que je résolus hier. Il faut m'arra-
cher de la présence de M. de Nemours ; il faut m'en
aller à la campagne, quelque bizarre que puisse paraître
mon voyage ; et si M. de Clèves s'opiniâtre à l'empêcher ou à en vouloir savoir les raisons, peut-être lui
ferai-je le mal, et à moi-même aussi, de les lui apprendre. Elle demeura dans cette résolution et passa tout le
soir chez elle, sans aller savoir de Mme la Dauphine ce
qui était arrivé de la fausse lettre du Vidame.

Quand M. de Clèves fut revenu, elle lui dit qu'elle
voulait aller à la campagne, qu'elle se trouvait mal et
qu'elle avait besoin de prendre l'air. M. de Clèves, à qui
elle paraissait d'une beauté qui ne lui persuadait pas que
ses maux fussent considérables, se moqua d'abord de la
proposition de ce voyage et lui répondit qu'elle oubliait
que les noces des princesses et le tournoi s'allaient faire,
et qu'elle n'avait pas trop de temps pour se préparer à
y paraître avec la même magnificence que les autres
femmes. Les raisons de son mari ne la firent pas changer
de dessein ; elle le pria de trouver bon que, pendant
qu'il irait à Compiègne avec le Roi, elle allât à Coulommiers, qui était une belle maison à une journée de Paris,
qu'ils faisaient bâtir avec soin. M. de Clèves y consentit ; elle y alla dans le dessein de n'en pas revenir sitôt,
et le Roi partit pour Compiègne où il ne devait être que
peu de jours.

M. de Nemours avait eu bien de la douleur de n'avoir
point revu Mme de Clèves depuis cette après-dînée qu'il
avait passée avec elle si agréablement et qui avait augmenté ses espérances. Il avait une impatience de la revoir qui ne lui donnait point de repos, de sorte que,
quand le Roi revint à Paris, il résolut d'aller chez sa
sœur, la duchesse de Mercœur, qui était à la campagne
assez près de Coulommiers. Il proposa au Vidame d'y
aller avec lui, qui accepta aisément cette proposition ; et
M. de Nemours la fit dans l'espérance de voir Mme de
Clèves et d'aller chez elle avec le Vidame.

Mme de Mercœur les reçut avec beaucoup de joie et
ne pensa qu'à les divertir et à leur donner tous les plaisirs de la campagne. Comme ils étaient à la chasse à
courir le cerf, M. de Nemours s'égara dans la forêt. En
s'enquérant du chemin qu'il devait tenir pour s'en retourner, il sut qu'il était proche de Coulommiers. À ce
mot de Coulommiers, sans faire aucune réflexion et sans
savoir quel était son dessein, il alla à toute bride du côté
qu'on le lui montrait. Il arriva dans la forêt et se laissa
conduire au hasard par des routes faites avec soin, qu'il
jugea bien qui conduisaient vers le château. Il trouva au
bout de ces routes un pavillon, dont le dessous était un
grand salon accompagné de deux cabinets, dont l'un
était ouvert sur un jardin de fleurs, qui n'était séparé de
la forêt que par des palissades, et le second donnait sur
une grande allée du parc. Il entra dans le pavillon, et il
se serait arrêté à en regarder la beauté, sans qu'il[1] vît
venir par cette allée du parc M. et Mme de Clèves, ac-

---

1. « Sans qu'il » : si ce n'est qu'il.

compagnés d'un grand nombre de domestiques. Comme il ne s'était pas attendu à trouver M. de Clèves qu'il avait laissé auprès du Roi, son premier mouvement le porta à se cacher : il entra dans le cabinet qui donnait sur le jardin de fleurs, dans la pensée d'en ressortir par une porte qui était ouverte sur la forêt ; mais, voyant que Mme de Clèves et son mari s'étaient assis sous le pavillon, que leurs domestiques demeuraient dans le parc et qu'ils ne pouvaient venir à lui sans passer dans le lieu où étaient M. et Mme de Clèves, il ne put se refuser le plaisir de voir cette princesse, ni résister à la curiosité d'écouter sa conversation avec un mari qui lui donnait plus de jalousie qu'aucun de ses rivaux [1].

Il entendit que M. de Clèves disait à sa femme :

— Mais pourquoi ne voulez-vous point revenir à Paris ? Qui vous peut retenir à la campagne ? Vous avez depuis quelque temps un goût pour la solitude qui m'étonne et qui m'afflige parce qu'il nous sépare. Je vous trouve même plus triste que de coutume et je crains que vous n'ayez quelque sujet d'affliction.

— Je n'ai rien de fâcheux dans l'esprit, répondit-elle avec un air embarrassé ; mais le tumulte de la Cour est si grand et il y a toujours un si grand monde chez vous qu'il est impossible que le corps et l'esprit ne se lassent et que l'on ne cherche du repos.

— Le repos, répliqua-t-il, n'est guère propre pour

---

1. Valincour s'étonne que l'auteur fasse courir un si grand danger à son héros. « Je vous avoue », écrit-il, « qu'en matière d'histoire, le vraisemblable me touche plus que tout le reste et cela coûte souvent moins à l'historien ». Sur cette notion d'un « coût » narratif, voir note 2, p. 267.

une personne de votre âge. Vous êtes, chez vous et dans la Cour, d'une sorte à ne vous pas donner de lassitude et je craindrais plutôt que vous ne fussiez bien aise d'être séparée de moi.

— Vous me feriez une grande injustice d'avoir cette pensée, reprit-elle avec un embarras qui augmentait toujours ; mais je vous supplie de me laisser ici. Si vous y pouviez demeurer, j'en aurais beaucoup de joie, pourvu que vous y demeurassiez seul, et que vous voulussiez bien n'y avoir point ce nombre infini de gens qui ne vous quittent quasi jamais.

— Ah ! Madame ! s'écria M. de Clèves, votre air et vos paroles me font voir que vous avez des raisons pour souhaiter d'être seule, que je ne sais point, et je vous conjure de me les dire.

Il la pressa longtemps de les lui apprendre sans pouvoir l'y obliger ; et, après qu'elle se fut défendue d'une manière qui augmentait toujours la curiosité de son mari, elle demeura dans un profond silence, les yeux baissés ; puis tout d'un coup prenant la parole et le regardant :

— Ne me contraignez point, lui dit-elle, à vous avouer une chose que je n'ai pas la force de vous avouer, quoique j'en aie eu plusieurs fois le dessein. Songez seulement que la prudence ne veut pas qu'une femme de mon âge, et maîtresse de sa conduite, demeure exposée au milieu de la Cour.

— Que me faites-vous envisager, Madame, s'écria M. de Clèves. Je n'oserais vous le dire de peur de vous offenser.

Mme de Clèves ne répondit point ; et son silence

achevant de confirmer son mari dans ce qu'il avait pensé :

— Vous ne me dites rien, reprit-il, et c'est me dire que je ne me trompe pas.

— Eh bien, Monsieur, lui répondit-elle en se jetant à ses genoux, je vais vous faire un aveu[1] que l'on n'a jamais fait à son mari ; mais l'innocence de ma conduite et de mes intentions m'en donne la force. Il est vrai que j'ai des raisons de m'éloigner de la Cour et que je veux éviter les périls où se trouvent quelquefois les personnes de mon âge. Je n'ai jamais donné nulle marque de faiblesse et je ne craindrais pas d'en laisser paraître si vous me laissiez la liberté de me retirer de la Cour ou si j'avais encore Mme de Chartres pour aider à me conduire. Quelque dangereux que soit le parti que je prends, je le prends avec joie pour me conserver digne d'être à vous. Je vous demande mille pardons, si j'ai des sentiments qui vous déplaisent, du moins je ne vous déplairai jamais par mes actions. Songez que pour faire ce que je fais, il faut avoir plus d'amitié et plus d'estime pour un mari que l'on n'en a jamais eu ; conduisez-moi, ayez pitié de moi, et aimez-moi encore, si vous pouvez.

M. de Clèves était demeuré, pendant tout ce discours,

---

1. Bien qu'elle ait été soigneusement préparée, la scène de l'aveu sera très généralement blâmée par les premiers lecteurs du roman. Voir ci-dessous, « la querelle de l'aveu », p. 264. À Valincour, qui laisse entendre que l'auteur pourrait s'être inspiré des *Désordres de l'amour*, de Mme de Villedieu, Charnes réplique en évoquant l'aveu de Pauline dans *Polyeucte*. Le comportement de Mme de Clèves a, en effet, quelque chose de l'héroïsme cornélien qui apparaîtra mieux encore à la fin du roman. (« Je sais bien qu'il n'y a rien de plus difficile que ce que j'entreprends », p. 244).

la tête appuyée sur ses mains, hors de lui-même, et il n'avait pas songé à faire relever sa femme. Quand elle eut cessé de parler, qu'il jeta les yeux sur elle, qu'il la vit à ses genoux le visage couvert de larmes et d'une beauté si admirable, il pensa mourir de douleur, et l'embrassant en la relevant :

— Ayez pitié de moi vous-même, Madame, lui dit-il, j'en suis digne ; et pardonnez si, dans les premiers moments d'une affliction aussi violente qu'est la mienne, je ne réponds pas, comme je dois, à un procédé comme le vôtre. Vous me paraissez plus digne d'estime et d'admiration que tout ce qu'il y a jamais eu de femmes au monde ; mais aussi je me trouve le plus malheureux homme qui ait jamais été. Vous m'avez donné de la passion dès le premier moment que je vous ai vue ; vos rigueurs et votre possession n'ont pu l'éteindre : elle dure encore ; je n'ai jamais pu vous donner de l'amour, et je vois que vous craignez d'en avoir pour un autre. Et qui est-il, Madame, cet homme heureux qui vous donne cette crainte ? Depuis quand vous plaît-il ? Qu'a-t-il fait pour vous plaire ? Quel chemin a-t-il trouvé pour aller à votre cœur ? Je m'étais consolé en quelque sorte de ne l'avoir pas touché par la pensée qu'il était incapable de l'être. Cependant un autre fait ce que je n'ai pu faire. J'ai tout ensemble la jalousie d'un mari et celle d'un amant ; mais il est impossible d'avoir celle d'un mari après un procédé comme le vôtre. Il est trop noble pour ne me pas donner une sûreté entière ; il me console même comme votre amant. La confiance et la sincérité que vous avez pour moi sont d'un prix infini : vous m'estimez assez pour croire que je n'abuserai pas de cet

aveu. Vous avez raison, Madame, je n'en abuserai pas
et je ne vous en aimerai pas moins. Vous me rendez
malheureux par la plus grande marque de fidélité que
jamais une femme ait donnée à son mari. Mais, Madame, achevez et apprenez-moi qui est celui que vous
voulez éviter.

— Je vous supplie de ne me le point demander, répondit-elle ; je suis résolue de¹ ne vous le pas dire et je
crois que la prudence ne veut pas que je vous le nomme.

— Ne craignez point, Madame, reprit M. de Clèves,
je connais trop le monde pour ignorer que la considération d'un mari n'empêche pas que l'on ne soit amoureux
de sa femme. On doit haïr ceux qui le sont et non pas
s'en plaindre ; et encore une fois, Madame, je vous conjure de m'apprendre ce que j'ai envie de savoir.

— Vous m'en presseriez inutilement, répliqua-t-elle ;
j'ai de la force pour taire ce que je crois ne pas devoir
dire. L'aveu que je vous ai fait n'a pas été par faiblesse,
et il faut plus de courage pour avouer cette vérité que
pour entreprendre de la cacher.

M. de Nemours ne perdait pas une parole de cette
conversation ; et ce que venait de dire Mme de Clèves
ne lui donnait guère moins de jalousie qu'à son mari. Il
était si éperdument amoureux d'elle qu'il croyait que
tout le monde avait les mêmes sentiments. Il était véritable aussi qu'il avait plusieurs rivaux ; mais il s'en imagi-
nait encore davantage, et son esprit s'égarait à chercher
celui dont Mme de Clèves voulait parler. Il avait cru

1. « Résolue de » (au lieu de « à ») : cette construction est encore admise à l'époque.

bien des fois qu'il ne lui était pas désagréable et il avait fait ce jugement sur des choses qui lui parurent si légères dans ce moment qu'il ne put s'imaginer qu'il eût donné une passion qui devait être bien violente pour avoir recours à un remède si extraordinaire. Il était si transporté qu'il ne savait quasi ce qu'il voyait, et il ne pouvait pardonner à M. de Clèves de ne pas assez presser sa femme de lui dire ce nom qu'elle lui cachait.

M. de Clèves faisait néanmoins tous ses efforts pour le savoir ; et, après qu'il l'en eut pressée inutilement :

— Il me semble, répondit-elle, que vous devez être content de ma sincérité ; ne m'en demandez pas davantage et ne me donnez point lieu de me repentir de ce que je viens de faire. Contentez-vous de l'assurance que je vous donne encore, qu'aucune de mes actions n'a fait paraître mes sentiments et que l'on ne m'a jamais rien dit dont j'aie pu m'offenser.

— Ah ! Madame, reprit tout d'un coup M. de Clèves, je ne vous saurais croire. Je me souviens de l'embarras où vous fûtes le jour que votre portrait se perdit. Vous avez donné, Madame, vous avez donné ce portrait qui m'était si cher et qui m'appartenait si légitimement. Vous n'avez pu cacher vos sentiments ; vous aimez, on le sait ; votre vertu vous a jusqu'ici garantie du reste.

— Est-il possible, s'écria cette princesse, que vous puissiez penser qu'il y ait quelque déguisement dans un aveu comme le mien, qu'aucune raison ne m'obligeait à vous faire ? Fiez-vous à mes paroles ; c'est par un assez grand prix que j'achète la confiance que je vous demande. Croyez, je vous en conjure, que je n'ai point donné mon portrait : il est vrai que je le vis prendre ;

mais je ne voulus pas faire paraître que je le voyais, de peur de m'exposer à me faire dire des choses que l'on ne m'a encore osé dire.

— Par où vous a-t-on donc fait voir qu'on vous aimait, reprit M. de Clèves, et quelles marques de passion vous a-t-on données ?

— Épargnez-moi la peine, répliqua-t-elle, de vous redire des détails qui me font honte à moi-même de les avoir remarqués et qui ne m'ont que trop persuadée de ma faiblesse.

— Vous avez raison, Madame, reprit-il, je suis injuste. Refusez-moi toutes les fois que je vous demanderai de pareilles choses ; mais ne vous offensez pourtant pas si je vous les demande.

Dans ce moment plusieurs de leurs gens, qui étaient demeurés dans les allées, vinrent avertir M. de Clèves qu'un gentilhomme venait le chercher, de la part du Roi, pour lui ordonner de se trouver le soir à Paris. M. de Clèves fut contraint de s'en aller et il ne put rien dire à sa femme, sinon qu'il la suppliait de venir le lendemain, et qu'il la conjurait de croire que, quoiqu'il fût affligé, il avait pour elle une tendresse et une estime dont elle devait être satisfaite.

Lorsque ce prince fut parti, que Mme de Clèves demeura seule, qu'elle regarda ce qu'elle venait de faire, elle en fut si épouvantée qu'à peine put-elle s'imaginer que ce fût une vérité. Elle trouva qu'elle s'était ôté elle-même le cœur et l'estime de son mari et qu'elle s'était creusé un abîme dont elle ne sortirait jamais. Elle se demandait pourquoi elle avait fait une chose si hasardeuse, et elle trouvait qu'elle s'y était engagée sans en avoir presque eu le dessein. La singularité d'un pareil aveu, dont elle ne trouvait point d'exemple, lui en faisait voir tout le péril.

Mais quand elle venait à penser que ce remède, quelque violent qu'il fût, était le seul qui la pouvait défendre contre M. de Nemours, elle trouvait qu'elle ne devait point se repentir et qu'elle n'avait point trop hasardé. Elle passa toute la nuit, pleine d'incertitude, de trouble et de crainte, mais enfin le calme revint dans son esprit. Elle trouva même de la douceur à avoir donné ce témoignage de fidélité à un mari qui le méritait si bien, qui avait tant d'estime et tant d'amitié pour elle, et qui venait de lui en donner encore des marques par la manière dont il avait reçu ce qu'elle lui avait avoué.

Cependant M. de Nemours était sorti du lieu où il avait entendu une conversation qui le touchait si sensiblement et s'était enfoncé dans la forêt. Ce qu'avait dit Mme de Clèves de son portrait lui avait redonné la vie en lui faisant connaître que c'était lui qu'elle ne haïssait pas. Il s'abandonna d'abord à cette joie ; mais elle ne fut pas longue, quand il fit réflexion que la même chose qui lui venait d'apprendre qu'il avait touché le cœur de Mme de Clèves, le devait persuader aussi qu'il n'en recevrait jamais nulle marque et qu'il était impossible d'engager[1] une personne qui avait recours à un remède si extraordinaire. Il sentit pourtant un plaisir sensible de l'avoir réduite à cette extrémité. Il trouva de la gloire à s'être fait aimer d'une femme si différente de toutes celles de son sexe ; enfin, il se trouva cent fois heureux

---

1. « Engager » : entraîner dans une liaison.

et malheureux tout ensemble. La nuit le surprit dans la forêt, et il eut beaucoup de peine à retrouver le chemin de chez Mme de Mercœur. Il y arriva à la pointe du jour. Il fut assez embarrassé de rendre compte de ce qui l'avait retenu ; il s'en démêla le mieux qu'il lui fut possible et revint ce jour même à Paris avec le Vidame.

Ce prince était si rempli de sa passion, et si surpris de ce qu'il avait entendu, qu'il tomba dans une imprudence assez ordinaire, qui est de parler en termes généraux de ses sentiments particuliers et de conter ses propres aventures sous des noms empruntés. En revenant il tourna la conversation sur l'amour, il exagéra le plaisir d'être amoureux d'une personne digne d'être aimée. Il parla des effets bizarres de cette passion et enfin ne pouvant renfermer en lui-même l'étonnement que lui donnait l'action de Mme de Clèves, il la conta au Vidame, sans lui nommer la personne et sans lui dire qu'il y eût aucune part ; mais il la conta avec tant de chaleur et avec tant d'admiration que le Vidame soupçonna aisément que cette histoire regardait ce prince. Il le pressa extrêmement de le lui avouer. Il lui dit qu'il connaissait depuis longtemps qu'il avait quelque passion violente et qu'il y avait de l'injustice de se défier d'un homme qui lui avait confié le secret de sa vie. M. de Nemours était trop amoureux pour avouer son amour ; il l'avait toujours caché au Vidame, quoique ce fût l'homme de la Cour qu'il aimât le mieux. Il lui répondit qu'un de ses amis lui avait conté cette aventure et lui avait fait promettre de n'en point parler, et qu'il le conjurait aussi de garder ce secret. Le Vidame l'assura qu'il n'en parlerait point ; néanmoins M. de Nemours se repentit de lui en avoir tant appris.

Cependant, M. de Clèves était allé trouver le Roi, le cœur pénétré d'une douleur mortelle. Jamais mari n'avait eu une passion si violente pour sa femme et ne l'avait tant estimée. Ce qu'il venait d'apprendre ne lui ôtait pas l'estime ; mais elle lui en donnait d'une espèce différente de celle qu'il avait eue jusqu'alors. Ce qui l'occupait le plus, était l'envie de deviner celui qui avait su lui plaire. M. de Nemours lui vint d'abord dans l'esprit, comme ce qu'il y avait de plus aimable à la Cour ; et le chevalier de Guise, et le maréchal de Saint-André, comme deux hommes qui avaient pensé à lui plaire et qui lui rendaient encore beaucoup de soins ; de sorte qu'il s'arrêta à croire qu'il fallait que ce fût l'un des trois. Il arriva au Louvre, et le Roi le mena dans son cabinet pour lui dire qu'il l'avait choisi pour conduire Madame en Espagne[1] ; qu'il avait cru que personne ne s'acquitterait mieux que lui de cette commission et que personne aussi ne ferait tant d'honneur à la France que Mme de Clèves. M. de Clèves reçut l'honneur de ce choix comme il le devait, et le regarda même comme une chose qui éloignerait sa femme de la Cour sans qu'il parût de changement dans sa conduite. Néanmoins le temps de ce départ était encore trop éloigné pour être un remède à l'embarras où il se trouvait. Il écrivit à l'heure même à Mme de Clèves, pour lui apprendre ce que le Roi venait de lui dire, et il lui manda encore qu'il voulait absolument qu'elle revînt à Paris. Elle y revint comme il l'ordonnait et lorsqu'ils se virent, ils se trouvèrent tous deux dans une tristesse extraordinaire.

1. Dans la réalité, c'est le roi de Navarre qui fut chargé de cette mission.

M. de Clèves lui parla comme le plus honnête homme
du monde et le plus digne de ce qu'elle avait fait.

— Je n'ai nulle inquiétude de votre conduite, lui dit-
il ; vous avez plus de force et plus de vertu que vous ne
pensez. Ce n'est point aussi la crainte de l'avenir qui
m'afflige. Je ne suis affligé que de vous voir pour un
autre des sentiments que je n'ai pu vous donner.

— Je ne sais que vous répondre, lui dit-elle ; je
meurs de honte en vous en parlant. Épargnez-moi, je
vous en conjure, de si cruelles conversations ; réglez ma
conduite ; faites que je ne voie personne. C'est tout ce
que je vous demande. Mais trouvez bon que je ne vous
parle plus d'une chose qui me fait paraître si peu digne
de vous et que je trouve si indigne de moi.

— Vous avez raison, Madame, répliqua-t-il ; j'abuse
de votre douceur et de votre confiance ; mais aussi ayez
quelque compassion de l'état où vous m'avez mis, et
songez que, quoi que vous m'ayez dit, vous me cachez
un nom qui me donne une curiosité avec laquelle je ne
saurais vivre. Je ne vous demande pourtant pas de la
satisfaire ; mais je ne puis m'empêcher de vous dire que
je crois que celui que je dois envier est le maréchal de
Saint-André, le duc de Nemours ou le chevalier de
Guise.

— Je ne vous répondrai rien, lui dit-elle en rougissant, et je ne vous donnerai aucun lieu, par mes réponses, de diminuer ni de fortifier vos soupçons, mais si
vous essayez de les éclaircir en m'observant, vous me
donnerez un embarras qui paraîtra aux yeux de tout le
monde. Au nom de Dieu, continua-t-elle, trouvez bon
que, sur le prétexte de quelque maladie, je ne voie personne.

— Non, Madame, répliqua-t-il, on démêlerait bientôt que ce serait une chose supposée [1] ; et, de plus, je ne me veux fier qu'à vous-même : c'est le chemin que mon cœur me conseille de prendre, et la raison me le conseille aussi. De l'humeur dont vous êtes, en vous laissant votre liberté, je vous donne des bornes plus étroites que je ne pourrais vous en prescrire.

M. de Clèves ne se trompait pas : la confiance qu'il témoignait à sa femme la fortifiait davantage contre M. de Nemours et lui faisait prendre des résolutions plus austères qu'aucune contrainte n'aurait pu faire. Elle alla donc au Louvre et chez la Reine Dauphine à son ordinaire ; mais elle évitait la présence et les yeux de M. de Nemours avec tant de soin qu'elle lui ôta quasi toute la joie qu'il avait de se croire aimé d'elle. Il ne voyait rien dans ses actions qui ne lui persuadât le contraire. Il ne savait quasi si ce qu'il avait entendu n'était point un songe, tant il y trouvait peu de vraisemblance. La seule chose qui l'assurait qu'il ne s'était pas trompé était l'extrême tristesse de Mme de Clèves, quelque effort qu'elle fît pour la cacher : peut-être que des regards et des paroles obligeantes n'eussent pas tant augmenté l'amour de M. de Nemours que faisait cette conduite austère.

Un soir que M. et Mme de Clèves étaient chez la Reine, quelqu'un dit que le bruit courait que le Roi nommerait encore un grand seigneur de la Cour pour aller conduire Madame en Espagne. M. de Clèves avait les yeux sur sa femme dans le temps que l'on ajouta que ce serait peut-être le chevalier de Guise ou le maréchal

1. « Une chose supposée » : un prétexte.

de Saint-André. Il remarqua qu'elle n'avait point été émue de ces deux noms, ni de la proposition qu'ils fissent ce voyage avec elle. Cela lui fit croire que pas un des deux n'était celui dont elle craignait la présence et, voulant s'éclaircir de ses soupçons, il entra dans le cabinet de la Reine, où était le Roi. Après y avoir demeuré quelque temps, il revint auprès de sa femme et lui dit tout bas qu'il venait d'apprendre que ce serait M. de Nemours qui irait avec eux en Espagne.

Le nom de M. de Nemours et la pensée d'être exposée à le voir tous les jours pendant un long voyage, en présence de son mari, donna un tel trouble à Mme de Clèves qu'elle ne le put cacher ; et, voulant y donner d'autres raisons :

— C'est un choix bien désagréable pour vous, répondit-elle, que celui de ce prince. Il partagera tous les honneurs et il me semble que vous devriez essayer de faire choisir quelque autre.

— Ce n'est pas la gloire, Madame, reprit M. de Clèves, qui vous fait appréhender que M. de Nemours ne vienne avec moi. Le chagrin que vous en avez vient d'une autre cause. Ce chagrin m'apprend ce que j'aurais appris d'une autre femme, par la joie qu'elle en aurait eue. Mais ne craignez point ; ce que je viens de vous dire n'est pas véritable, et je l'ai inventé pour m'assurer d'une chose que je ne croyais déjà que trop.

Il sortit après ces paroles, ne voulant pas augmenter par sa présence l'extrême embarras où il voyait sa femme.

M. de Nemours entra dans cet instant et remarqua d'abord l'état où était Mme de Clèves. Il s'approcha d'elle et lui dit tout bas qu'il n'osait, par respect, lui demander ce qui la rendait plus rêveuse que de coutume. La voix de M. de Nemours la fit revenir, et le regardant, sans avoir entendu ce qu'il venait de lui dire, pleine de ses propres pensées et de la crainte que son mari ne le vît auprès d'elle :

— Au nom de Dieu, lui dit-elle, laissez-moi en repos !

— Hélas ! Madame, répondit-il, je ne vous y laisse que trop ; de quoi pouvez-vous vous plaindre ? Je n'ose vous parler, je n'ose même vous regarder ; je ne vous approche qu'en tremblant. Par où me suis-je attiré ce que vous venez de me dire, et pourquoi me faites-vous paraître que j'ai quelque part au chagrin où je vous vois ?

Mme de Clèves fut bien fâchée d'avoir donné lieu à M. de Nemours de s'expliquer plus clairement qu'il n'avait fait en toute sa vie. Elle le quitta, sans lui répondre, et s'en revint chez elle, l'esprit plus agité qu'elle ne l'avait jamais eu. Son mari s'aperçut aisément de l'augmentation de son embarras. Il vit qu'elle craignait qu'il ne lui parlât de ce qui s'était passé. Il la suivit dans un cabinet où elle était entrée.

— Ne m'évitez point, Madame, lui dit-il, je ne vous dirai rien qui puisse vous déplaire ; je vous demande pardon de la surprise que je vous ai faite tantôt. J'en suis assez puni par ce que j'ai appris. M. de Nemours était de tous les hommes celui que je craignais le plus. Je vois le péril où vous êtes ; ayez du pouvoir sur vous pour l'amour de vous-même et, s'il est possible, pour l'amour de moi. Je ne vous le demande point comme un mari, mais comme un homme dont vous faites tout le bonheur, et qui a pour vous une passion plus tendre et plus violente que celui que votre cœur lui préfère.

M. de Clèves s'attendrit en prononçant ces dernières paroles et eut peine à les achever. Sa femme en fut pénétrée et, fondant en larmes, elle l'embrassa avec une tendresse et une douleur qui le mit dans un état peu différent du sien. Ils demeurèrent quelque temps sans se rien dire et se séparèrent sans avoir la force de se parler.

Les préparatifs pour le mariage de Madame étaient achevés. Le duc d'Albe arriva pour l'épouser[1]. Il fut reçu avec toute la magnificence et toutes les cérémonies qui se pouvaient faire dans une pareille occasion. Le Roi envoya au-devant de lui le prince de Condé, les cardinaux de Lorraine et de Guise, les ducs de Lorraine, de Ferrare, d'Aumale, de Bouillon, de Guise et de Nemours. Ils avaient plusieurs gentilshommes et grand nombre de pages vêtus de leurs livrées. Le Roi attendit lui-même le duc d'Albe à la première porte du Louvre, avec les deux cents gentilshommes servants et le Connétable à leur tête. Lorsque ce duc fut proche du Roi, il voulut lui embrasser les genoux ; mais le Roi l'en empêcha et le fit marcher à son côté jusque chez la Reine et chez Madame, à qui le duc d'Albe apporta un présent magnifique de la part de son maître. Il alla ensuite chez Mme Marguerite sœur du Roi, lui faire les compliments de M. de Savoie et l'assurer qu'il arriverait dans peu de jours. L'on fit de grandes assemblées au Louvre pour

---

1. Comme il était fréquent à l'époque dans les familles royales, le mariage d'Élisabeth se fait par procuration : le duc d'Albe représente Philippe II.

faire voir au duc d'Albe, et au prince d'Orange qui l'avait accompagné, les beautés de la Cour.

Mme de Clèves n'osa se dispenser de s'y trouver, quelque envie qu'elle en eût, par la crainte de déplaire à son mari qui lui commanda absolument d'y aller. Ce qui l'y déterminait encore davantage était l'absence de M. de Nemours. Il était allé au-devant de M. de Savoie et, après que ce prince fut arrivé, il fut obligé de se tenir presque toujours auprès de lui pour lui aider à toutes les choses qui regardaient les cérémonies de ses noces. Cela fit que Mme de Clèves ne rencontra pas ce prince aussi souvent qu'elle avait accoutumé ; et elle s'en trouvait dans quelque sorte de repos.

Le vidame de Chartres n'avait pas oublié la conversation qu'il avait eue avec M. de Nemours. Il lui était demeuré dans l'esprit que l'aventure que ce prince lui avait contée était la sienne propre, et il l'observait avec tant de soin que peut-être aurait-il démêlé la vérité, sans que l'arrivée du duc d'Albe et celle de M. de Savoie firent un changement et une occupation dans la Cour qui l'empêcha de voir ce qui aurait pu l'éclairer. L'envie de s'éclaircir, ou plutôt la disposition naturelle que l'on a de conter tout ce que l'on sait à ce que l'on aime, fit qu'il redit à Mme de Martigues l'action extraordinaire de cette personne, qui avait avoué à son mari la passion qu'elle avait pour un autre. Il l'assura que M. de Nemours était celui qui avait inspiré cette violente passion et il la conjura de lui aider à observer ce prince. Mme de Martigues fut bien aise d'apprendre ce que lui dit le Vidame ; et la curiosité qu'elle avait toujours vue à Mme la Dauphine, pour ce qui regardait M. de Ne-

mours, lui donnait encore plus d'envie de pénétrer cette
aventure.

Peu de jours avant celui que l'on avait choisi pour la
cérémonie du mariage, la Reine Dauphine donnait à souper au Roi son beau-père et à la duchesse de Valentinois. Mme de Clèves, qui était occupée à s'habiller, alla
au Louvre plus tard que de coutume. En y allant, elle
trouva un gentilhomme qui la venait quérir de la part de
Mme la Dauphine. Comme elle entra dans la chambre,
cette princesse lui cria, de dessus son lit où elle était,
qu'elle l'attendait avec une grande impatience.

— Je crois, Madame, lui répondit-elle, que je ne dois
pas vous remercier de cette impatience et qu'elle est
sans doute causée par quelque autre chose que par l'envie de me voir.

— Vous avez raison, lui répliqua la Reine Dauphine ;
mais néanmoins vous devez m'en être obligée, car je
veux vous apprendre une aventure que je suis assurée
que vous serez bien aise de savoir.

Mme de Clèves se mit à genoux devant son lit et, par
bonheur pour elle, elle n'avait pas le jour au visage.

— Vous savez, lui dit cette reine, l'envie que nous
avions de deviner ce qui causait le changement qui paraît au duc de Nemours : je crois le savoir, et c'est une
chose qui vous surprendra. Il est éperdument amoureux
et fort aimé d'une des plus belles personnes de la Cour.

Ces paroles, que Mme de Clèves ne pouvait s'attribuer puisqu'elle ne croyait pas que personne sût qu'elle
aimait ce prince, lui causèrent une douleur qu'il est aisé
de s'imaginer.

— Je ne vois rien en cela, répondit-elle, qui doive

surprendre d'un homme de l'âge de M. de Nemours et fait comme il est.

— Ce n'est pas aussi, reprit Mme la Dauphine, ce qui vous doit étonner ; mais c'est de savoir que cette femme qui aime M. de Nemours, ne lui en a jamais donné aucune marque et que la peur qu'elle a eue de n'être pas toujours maîtresse de sa passion, a fait qu'elle l'a avouée à son mari, afin qu'il l'ôtât de la Cour. Et c'est M. de Nemours lui-même qui a conté ce que je vous dis.

Si Mme de Clèves avait eu d'abord de la douleur par la pensée qu'elle n'avait aucune part à cette aventure, les dernières paroles de Mme la Dauphine lui donnèrent du désespoir, par la certitude de n'y en avoir que trop. Elle ne put répondre et demeura la tête penchée sur le lit pendant que la Reine continuait de parler, si occupée de ce qu'elle disait qu'elle ne prenait pas garde à cet embarras. Lorsque Mme de Clèves fut un peu remise :

— Cette histoire ne me paraît guère vraisemblable, Madame, répondit-elle, et je voudrais bien savoir qui vous l'a contée.

— C'est Mme de Martigues, répliqua Mme la Dauphine, qui l'a apprise du vidame de Chartres. Vous savez qu'il en est amoureux ; il la lui a confiée comme un secret et il la sait du duc de Nemours lui-même. Il est vrai que le duc de Nemours ne lui a pas dit le nom de la dame et ne lui a pas même avoué que ce fût lui qui en fût aimé ; mais le vidame de Chartres n'en doute point.

Comme la Reine Dauphine achevait ces paroles, quelqu'un s'approcha du lit. Mme de Clèves était tournée d'une sorte qui l'empêchait de voir qui c'était ; mais elle n'en douta pas, lorsque Mme la Dauphine se récria avec un air de gaieté et de surprise :

— Le voilà lui-même, et je veux lui demander ce qui en est.

Mme de Clèves connut bien que c'était le duc de Nemours, comme ce l'était en effet, sans se tourner de son côté. Elle s'avança avec précipitation vers Mme la Dauphine, et lui dit tout bas qu'il fallait bien se garder de lui parler de cette aventure ; qu'il l'avait confiée au vidame de Chartres ; et que ce serait une chose capable de les brouiller. Mme la Dauphine lui répondit, en riant, qu'elle était trop prudente et se retourna vers M. de Nemours. Il était paré pour l'assemblée du soir, et prenant la parole avec cette grâce qui lui était si naturelle :

— Je crois, Madame, dit-il, que je puis penser, sans témérité, que vous parliez de moi quand je suis entré, que vous aviez dessein de me demander quelque chose et que Mme de Clèves s'y oppose.

— Il est vrai, répondit Mme la Dauphine ; mais je n'aurai pas pour elle la complaisance que j'ai accoutumé d'avoir. Je veux savoir de vous si une histoire que l'on m'a contée est véritable et si vous n'êtes pas celui qui êtes amoureux et aimé d'une femme de la Cour qui vous cache sa passion avec soin et qui l'a avouée à son mari.

Le trouble et l'embarras de Mme de Clèves était au-delà de tout ce que l'on peut s'imaginer, et, si la mort se fût présentée pour la tirer de cet état, elle l'aurait trouvée agréable. Mais M. de Nemours était encore plus embarrassé, s'il est possible. Le discours de Mme la Dauphine, dont il avait eu lieu de croire qu'il n'était pas haï, en présence de Mme de Clèves, qui était la personne de la Cour en qui elle avait le plus de confiance, et qui en avait aussi le plus en elle, lui donnait une si grande confusion de pensées bizarres qu'il lui fut impossible d'être maître de son visage. L'embarras où il voyait Mme de Clèves par sa faute, et la pensée du juste sujet qu'il lui donnait de le haïr, lui causa un saisissement qui ne lui permit pas de répondre. Mme la Dauphine voyant à quel point il était interdit :

— Regardez-le, regardez-le, dit-elle à Mme de Clèves, et jugez si cette aventure n'est pas la sienne.

Cependant M. de Nemours, revenant de son premier trouble, et voyant l'importance de sortir d'un pas si dangereux, se rendit maître tout d'un coup de son esprit et de son visage :

— J'avoue, Madame, dit-il, que l'on ne peut être plus surpris et plus affligé que je le suis de l'infidélité que m'a faite le vidame de Chartres, en racontant l'aventure d'un de mes amis que je lui avais confiée. Je pourrai m'en venger, continua-t-il en souriant avec un air tranquille qui ôta quasi à Mme la Dauphine les soupçons qu'elle venait d'avoir. Il m'a confié des choses qui ne sont pas d'une médiocre importance ; mais je ne sais, Madame, poursuivit-il, pourquoi vous me faites l'honneur de me mêler à cette aventure. Le Vidame ne peut pas dire qu'elle me regarde, puisque je lui ai dit le contraire. La qualité d'un homme amoureux me peut convenir ; mais, pour celle d'un homme aimé, je ne crois pas, Madame, que vous puissiez me la donner.

Ce prince fut bien aise de dire quelque chose à Mme la Dauphine, qui eût du rapport à ce qu'il lui avait fait paraître en d'autres temps, afin de lui détourner l'esprit des pensées qu'elle aurait pu avoir. Elle crut bien aussi entendre ce qu'il disait ; mais, sans y répondre, elle continua à lui faire la guerre de son embarras.

— J'ai été troublé, Madame, lui répondit-il, pour l'intérêt de mon ami et par les justes reproches qu'il me pourrait faire d'avoir redit une chose qui lui est plus chère que la vie. Il ne me l'a néanmoins confiée qu'à demi, et il ne m'a pas nommé la personne qu'il aime. Je sais seulement qu'il est l'homme du monde le plus amoureux et le plus à plaindre.

— Le trouvez-vous si à plaindre, répliqua Mme la Dauphine, puisqu'il est aimé ?

— Croyez-vous qu'il le soit, Madame, reprit-il, et qu'une personne, qui aurait une véritable passion, pût la découvrir à son mari [1] ? Cette personne ne connaît pas sans doute l'amour, et elle a pris pour lui une légère reconnaissance de l'attachement que l'on a pour elle. Mon ami ne se peut flatter d'aucune espérance ; mais, tout malheureux qu'il est, il se trouve heureux d'avoir du moins donné la peur de l'aimer et il ne changerait pas son état contre celui du plus heureux amant du monde.

— Votre ami a une passion bien aisée à satisfaire, dit Mme la Dauphine, et je commence à croire que ce n'est pas de vous dont vous parlez. Il ne s'en faut guère, continua-t-elle, que je ne sois de l'avis de Mme de Clèves, qui soutient que cette aventure ne peut être véritable.

— Je ne crois pas en effet qu'elle le puisse être, re-

1. C'est ce que penseront la plupart des lecteurs. Voir ci-dessous p. 266.

prit Mme de Clèves qui n'avait point encore parlé ; et
quand il serait possible qu'elle le fût, par où l'aurait-on
pu savoir ? Il n'y a pas d'apparence qu'une femme, capable d'une chose si extraordinaire, eût la faiblesse de
la raconter ; apparemment son mari ne l'aurait pas racontée non plus, ou ce serait un mari bien indigne du
procédé que l'on aurait eu avec lui.

M. de Nemours, qui vit les soupçons de Mme de Clèves sur son mari, fut bien aise de les lui confirmer. Il
savait que c'était le plus redoutable rival qu'il eût à détruire.

— La jalousie, répondit-il, et la curiosité d'en savoir
peut-être davantage que l'on ne lui en a dit, peuvent
faire faire bien des imprudences à un mari.

Mme de Clèves était à la dernière épreuve de sa force
et de son courage et, ne pouvant plus soutenir la conversation, elle allait dire qu'elle se trouvait mal, lorsque,
par bonheur pour elle, la duchesse de Valentinois entra,
qui dit à Mme la Dauphine que le Roi allait arriver.
Cette reine passa dans son cabinet pour s'habiller. M. de
Nemours s'approcha de Mme de Clèves, comme elle la
voulait suivre.

— Je donnerais ma vie, Madame, lui dit-il, pour vous
parler un moment ; mais de tout ce que j'aurais d'important à vous dire, rien ne me le paraît davantage que de
vous supplier de croire que si j'ai dit quelque chose où
Mme la Dauphine puisse prendre part, je l'ai fait par des
raisons qui ne la regardent pas.

Mme de Clèves ne fit pas semblant d'entendre M. de
Nemours ; elle le quitta sans le regarder, et se mit à suivre le Roi qui venait d'entrer. Comme il y avait beau-

coup de monde, elle s'embarrassa dans sa robe et fit un faux pas : elle se servit de ce prétexte pour sortir d'un lieu où elle n'avait pas la force de demeurer et, feignant de ne se pouvoir soutenir, elle s'en alla chez elle.

M. de Clèves vint au Louvre et fut étonné de n'y pas trouver sa femme : on lui dit l'accident qui lui était arrivé. Il s'en retourna à l'heure même pour apprendre de ses nouvelles ; il la trouva au lit et il sut que son mal n'était pas considérable. Quand il eut été quelque temps auprès d'elle, il s'aperçut qu'elle était dans une tristesse si excessive qu'il en fut surpris.

— Qu'avez-vous, Madame ? lui dit-il. Il me paraît que vous avez quelque autre douleur que celle dont vous vous plaignez.

— J'ai la plus sensible affliction que je pouvais jamais avoir, répondit-elle ; quel usage avez-vous fait de la confiance extraordinaire ou, pour mieux dire, folle que j'ai eue en vous ? Ne méritais-je pas le secret, et quand je ne l'aurais pas mérité, votre propre intérêt ne vous y engageait-il pas ? Fallait-il que la curiosité de savoir un nom que je ne dois pas vous dire vous obligeât à vous confier à quelqu'un pour tâcher de le découvrir ? Ce ne peut être que cette curiosité qui vous ait fait faire une si cruelle imprudence, les suites en sont aussi fâcheuses qu'elles pouvaient l'être. Cette aventure est sue, et on me la vient de conter, ne sachant pas que j'y eusse le principal intérêt.

— Que me dites-vous, Madame ? lui répondit-il. Vous m'accusez d'avoir conté ce qui s'est passé entre vous et moi, et vous m'apprenez que la chose est sue ? Je ne me justifie pas de l'avoir redite ; vous ne le sauriez

croire, et il faut sans doute que vous ayez pris pour vous
ce que l'on vous a dit de quelque autre.

— Ah ! Monsieur, reprit-elle, il n'y a pas dans le
monde une autre aventure pareille à la mienne ; il n'y a
point une autre femme capable de la même chose. Le
hasard ne peut l'avoir fait inventer ; on ne l'a jamais
imaginée et cette pensée n'est jamais tombée dans un
autre esprit que le mien. Mme la Dauphine vient de me
conter toute cette aventure ; elle l'a sue par le vidame
de Chartres qui la sait de M. de Nemours.

— M. de Nemours ! s'écria M. de Clèves avec une
action qui marquait du transport[1] et du désespoir. Quoi !
M. de Nemours sait que vous l'aimez, et que je le sais ?

— Vous voulez toujours choisir M. de Nemours plutôt qu'un autre, répliqua-t-elle : je vous ai dit que je ne
vous répondrais jamais sur vos soupçons. J'ignore si
M. de Nemours sait la part que j'ai dans cette aventure
et celle que vous lui avez donnée ; mais il l'a contée au
vidame de Chartres et lui a dit qu'il la savait d'un de
ses amis, qui ne lui avait pas nommé la personne. Il faut
que cet ami de M. de Nemours soit des vôtres et que
vous vous soyez fié à lui pour tâcher de vous éclaircir.

— A-t-on un ami au monde à qui on voulût faire une
telle confidence, reprit M. de Clèves, et voudrait-on
éclaircir ses soupçons au prix d'apprendre à quelqu'un
ce que l'on souhaiterait de se cacher à soi-même ? Songez plutôt, Madame, à qui vous avez parlé. Il est plus
vraisemblable que ce soit par vous que par moi que ce
secret soit échappé. Vous n'avez pu soutenir toute seule

1. « Transport » : trouble violent. Voir aussi p. 212.

l'embarras où vous vous êtes trouvée et vous avez cherché le soulagement de vous plaindre avec quelque confidente qui vous a trahie.

— N'achevez point de m'accabler, s'écria-t-elle, et n'ayez point la dureté de m'accuser d'une faute que vous avez faite. Pouvez-vous m'en soupçonner, et puisque j'ai été capable de vous parler, suis-je capable de parler à quelque autre ?

L'aveu que Mme de Clèves avait fait à son mari était une si grande marque de sa sincérité et elle niait si fortement de s'être confiée à personne que M. de Clèves ne savait que penser. D'un autre côté, il était assuré de n'avoir rien redit ; c'était une chose que l'on ne pouvait avoir devinée, elle était sue ; ainsi il fallait que ce fût par l'un des deux, mais ce qui lui causait une douleur violente était de savoir que ce secret était entre les mains de quelqu'un et qu'apparemment il serait bientôt divulgué.

Mme de Clèves pensait à peu près les mêmes choses, elle trouvait également impossible que son mari eût parlé et qu'il n'eût pas parlé. Ce qu'avait dit M. de Nemours, que la curiosité pouvait faire faire des imprudences à un mari, lui paraissait se rapporter si juste à l'état de M. de Clèves qu'elle ne pouvait croire que ce fût une chose que le hasard eût fait dire ; et cette vraisemblance la déterminait à croire que M. de Clèves avait abusé de la confiance qu'elle avait en lui. Ils étaient si occupés l'un et l'autre de leurs pensées qu'ils furent longtemps sans parler, et ils ne sortirent de ce silence que pour redire les mêmes choses qu'ils avaient déjà dites plusieurs fois, et demeurèrent le cœur et l'esprit plus éloignés et plus altérés qu'ils ne l'avaient encore eu.

Il est aisé de s'imaginer en quel état ils passèrent la nuit. M. de Clèves avait épuisé toute sa constance à soutenir le malheur de voir une femme qu'il adorait touchée de passion pour un autre. Il ne lui restait plus de courage ; il croyait même n'en devoir pas trouver dans une chose où sa gloire et son honneur étaient si vivement blessés. Il ne savait plus que penser de sa femme ; il ne voyait plus quelle conduite il lui devait faire prendre, ni comment il se devait conduire lui-même ; et il ne trouvait de tous côtés que des précipices et des abîmes. Enfin, après une agitation et une incertitude très longue, voyant qu'il devait bientôt s'en aller en Espagne, il prit le parti de ne rien faire qui pût augmenter les soupçons ou la connaissance de son malheureux état. Il alla trouver Mme de Clèves et lui dit qu'il ne s'agissait pas de démêler entre eux qui avait manqué au secret ; mais qu'il s'agissait de faire voir que l'histoire que l'on avait contée était une fable où elle n'avait aucune part ; qu'il dépendait d'elle de le persuader à M. de Nemours et aux autres ; qu'elle n'avait qu'à agir avec lui avec la sévérité et la froideur qu'elle devait avoir pour un homme qui lui témoignait de l'amour ; que, par ce procédé, elle lui ôterait aisément l'opinion qu'elle eût de l'inclination pour lui ; qu'ainsi il ne fallait point s'affliger de tout ce qu'il aurait pu penser, parce que si, dans la suite, elle ne faisait paraître aucune faiblesse, toutes ses pensées se détruiraient aisément, et que surtout il fallait qu'elle allât au Louvre et aux assemblées comme à l'ordinaire.

Après ces paroles, M. de Clèves quitta sa femme sans attendre sa réponse. Elle trouva beaucoup de raison dans tout ce qu'il lui dit, et la colère où elle était contre M. de

Nemours lui fit croire qu'elle trouverait aussi beaucoup
de facilité à l'exécuter ; mais il lui parut difficile de se
trouver à toutes les cérémonies du mariage et d'y paraître avec un visage tranquille et un esprit libre ; néanmoins, comme elle devait porter la robe de Mme la Dauphine et que c'était une chose où elle avait été préférée
à plusieurs autres princesses, il n'y avait pas moyen d'y
renoncer sans faire beaucoup de bruit et sans en faire
chercher des raisons. Elle se résolut donc de faire un
effort sur elle-même ; mais elle prit le reste du jour pour
s'y préparer et pour s'abandonner à tous les sentiments
dont elle était agitée. Elle s'enferma seule dans son cabinet. De tous ses maux, celui qui se présentait à elle avec
le plus de violence, était d'avoir sujet de se plaindre de
M. de Nemours et de ne trouver aucun moyen de le
justifier. Elle ne pouvait douter qu'il n'eût conté cette
aventure au vidame de Chartres ; il l'avait avoué, et elle
ne pouvait douter aussi, par la manière dont il avait
parlé, qu'il ne sût que l'aventure la regardait. Comment
excuser une si grande imprudence, et qu'était devenue
l'extrême discrétion de ce prince, dont elle avait été si
touchée ?

Il a été discret, disait-elle, tant qu'il a cru être malheureux ; mais une pensée d'un bonheur, même incertain, a fini sa discrétion. Il n'a pu s'imaginer qu'il était
aimé sans vouloir qu'on le sût. Il a dit tout ce qu'il pouvait dire ; je n'ai pas avoué que c'était lui que j'aimais,
il l'a soupçonné et il a laissé voir ses soupçons. S'il eût
eu des certitudes, il en aurait usé de la même sorte. J'ai
eu tort de croire qu'il y eût un homme capable de cacher
ce qui flatte sa gloire. C'est pourtant pour cet homme,

que j'ai cru si différent du reste des hommes, que je me trouve, comme les autres femmes, étant si éloignée de leur ressembler. J'ai perdu le cœur et l'estime d'un mari qui devait faire ma félicité. Je serai bientôt regardée de tout le monde comme une personne qui a une folle et violente passion. Celui pour qui je l'ai ne l'ignore plus ; et c'est pour éviter ces malheurs que j'ai hasardé tout mon repos et même ma vie.

Ces tristes réflexions étaient suivies d'un torrent de larmes ; mais quelque douleur dont elle se trouvât accablée, elle sentait bien qu'elle aurait eu la force de les supporter si elle avait été satisfaite de M. de Nemours.

Ce prince n'était pas dans un état plus tranquille. L'imprudence qu'il avait faite d'avoir parlé au vidame de Chartres et les cruelles suites de cette imprudence lui donnaient un déplaisir mortel. Il ne pouvait se représenter, sans être accablé, l'embarras, le trouble et l'affliction où il avait vu Mme de Clèves. Il était inconsolable de lui avoir dit des choses sur cette aventure qui, bien que galantes par elles-mêmes, lui paraissaient, dans ce moment, grossières et peu polies, puisqu'elles avaient fait entendre à Mme de Clèves qu'il n'ignorait pas qu'elle était cette femme qui avait une passion violente et qu'il était celui pour qui elle l'avait. Tout ce qu'il eût pu souhaiter, eût été une conversation avec elle ; mais il trouvait qu'il la devait craindre plutôt que de la désirer.

Qu'aurais-je à lui dire ? s'écriait-il. Irais-je encore lui montrer ce que je ne lui ai déjà que trop fait connaître ? Lui ferai-je voir que je sais qu'elle m'aime, moi qui n'ai jamais seulement osé lui dire que je l'aimais ? Commencerai-je à lui parler ouvertement de ma passion, afin de lui paraître un homme devenu hardi par des espérances ? Puis-je penser seulement à l'approcher et oserais-je lui donner l'embarras de soutenir ma vue ? Par où pourrais-je me justifier ? Je n'ai point d'excuse, je suis indigne d'être regardé de Mme de Clèves et je n'espère pas aussi qu'elle me regarde jamais. Je ne lui ai donné par ma faute de meilleurs moyens pour se défendre contre moi que tous ceux qu'elle cherchait et qu'elle eût peut-être cherchés inutilement. Je perds par mon imprudence le bonheur et la gloire d'être aimé de la plus aimable et de la plus estimable personne du monde ; mais, si j'avais perdu ce bonheur sans qu'elle en eût souffert et sans lui avoir donné une douleur mortelle, ce me serait une consolation ; et je sens plus dans ce moment le mal que je lui ai fait que celui que je me suis fait auprès d'elle.

M. de Nemours fut longtemps à s'affliger et à penser les mêmes choses. L'envie de parler à Mme de Clèves lui venait toujours dans l'esprit. Il songea à en trouver les moyens, il pensa à lui écrire ; mais enfin il trouva qu'après la faute qu'il avait faite, et de l'humeur dont elle était, le mieux qu'il pût faire était de lui témoigner un profond respect par son affliction et par son silence, de lui faire voir même qu'il n'osait se présenter devant elle et d'attendre ce que le temps, le hasard et l'inclination qu'elle avait pour lui, pourraient faire en sa faveur. Il résolut aussi de ne point faire de reproches au vidame de Chartres de l'infidélité qu'il lui avait faite, de peur de fortifier ses soupçons.

Les fiançailles de Madame, qui se faisaient le lendemain, et le mariage qui se faisait le jour suivant, occu-

paient tellement toute la Cour que Mme de Clèves et
M. de Nemours cachèrent aisément au public leur tristesse et leur trouble. Mme la Dauphine ne parla même
qu'en passant à Mme de Clèves de la conversation
qu'elles avaient eue avec M. de Nemours, et M. de Clèves affecta de ne plus parler à sa femme de tout ce qui
s'était passé, de sorte qu'elle ne se trouva pas dans un
aussi grand embarras qu'elle l'avait imaginé.

Les fiançailles se firent au Louvre [1] et, après le festin
et le bal, toute la maison royale alla coucher à l'évêché
comme c'était la coutume. Le matin, le duc d'Albe, qui
n'était jamais vêtu que fort simplement, mit un habit de
drap d'or mêlé de couleur de feu, de jaune et de noir,
tout couvert de pierreries, et il avait une couronne
fermée sur la tête. Le prince d'Orange, habillé aussi magnifiquement avec ses livrées, et tous les Espagnols suivis des leurs, vinrent prendre le duc d'Albe à l'hôtel de
Villeroi où il était logé, et partirent, marchant quatre à
quatre, pour venir à l'évêché. Sitôt qu'il fut arrivé, on
alla par ordre à l'église : le Roi menait Madame qui
avait aussi une couronne fermée et sa robe portée par
Mlles de Montpensier et de Longueville. La Reine mar-
chait ensuite, mais sans couronne. Après elle, venaient
la Reine Dauphine, Madame sœur du Roi, Mme de
Lorraine et la reine de Navarre, leurs robes portées par
des princesses. Les reines et les princesses avaient toutes

---

1. Pour décrire ces fêtes, Mme de Lafayette a puisé principalement dans *Le Cérémonial français* de Godefroy (1649). Contraire-
ment à ce que le texte semble dire, il n'est question ici que du
premier mariage, celui d'Élisabeth de France. Le second sera célébré « sans cérémonie », la veille de la mort du Roi. Voir p. 198.

leurs filles magnifiquement habillées des mêmes couleurs qu'elles étaient vêtues : en sorte que l'on connaissait à qui étaient les filles par la couleur de leurs habits.
On monta sur l'échafaud qui était préparé dans l'église
et l'on fit la cérémonie des mariages. On retourna ensuite dîner à l'évêché et, sur les cinq heures, on en partit
pour aller au palais, où se faisait le festin et où le Parle-
ment, les cours souveraines et la maison de ville étaient
priés d'assister. Le Roi, les reines, les princes et princesses mangèrent sur la table de marbre dans la grande
salle du palais, le duc d'Albe assis auprès de la nouvelle
reine d'Espagne. Au-dessous des degrés de la table de
marbre et à la main droite du Roi, était une table pour
les ambassadeurs, les archevêques et les chevaliers de
l'ordre et, de l'autre côté, une table pour MM. du par-
lement.

Le duc de Guise, vêtu d'une robe de drap d'or frisé,
servait au Roi de grand-maître, M. le prince de Condé,
de panetier, et le duc de Nemours, d'échanson. Après
que les tables furent levées, le bal commença ; il fut in-
terrompu par des ballets et par des machines extraordinaires. On le reprit ensuite ; et enfin, après minuit, le
Roi et toute la Cour s'en retourna au Louvre. Quelque
triste que fût Mme de Clèves, elle ne laissa pas de paraître aux yeux de tout le monde, et surtout aux yeux de
M. de Nemours, d'une beauté incomparable. Il n'osa lui
parler, quoique l'embarras de cette cérémonie lui en
donnât plusieurs moyens ; mais il lui fit voir tant de tristesse et une crainte si respectueuse de l'approcher
qu'elle ne le trouva plus si coupable, quoiqu'il ne lui eût
rien dit pour se justifier. Il eut la même conduite les

jours suivants et cette conduite fit aussi le même effet sur le cœur de Mme de Clèves.

Enfin, le jour du tournoi arriva. Les reines se rendirent dans les galeries et sur les échafauds qui leur avaient été destinés. Les quatre tenants parurent au bout de la lice, avec une quantité de chevaux et de livrées qui faisaient le plus magnifique spectacle qui eût jamais paru en France.

Le Roi n'avait point d'autres couleurs que le blanc et le noir, qu'il portait toujours à cause de Mme de Valentinois qui était veuve. M. de Ferrare et toute sa suite avaient du jaune et du rouge ; M. de Guise parut avec de l'incarnat et du blanc : on ne savait d'abord par quelle raison il avait ces couleurs ; mais on se souvint que c'étaient celles d'une belle personne qu'il avait aimée pendant qu'elle était fille, et qu'il aimait encore, quoiqu'il n'osât plus le lui faire paraître. M. de Nemours avait du jaune et du noir ; on en chercha inutilement la raison. Mme de Clèves n'eut pas de peine à la deviner : elle se souvint d'avoir dit devant lui qu'elle aimait le jaune, et qu'elle était fâchée d'être blonde, parce qu'elle n'en pouvait mettre. Ce prince crut pouvoir paraître avec cette couleur, sans indiscrétion, puisque, Mme de Clèves n'en mettant point, on ne pouvait soupçonner que ce fût la sienne.

Jamais on n'a fait voir tant d'adresse que les quatre tenants en firent paraître. Quoique le Roi fût le meilleur homme de cheval de son royaume, on ne savait à qui donner l'avantage. M. de Nemours avait un agrément dans toutes ses actions qui pouvait faire pencher en sa faveur des personnes moins intéressées que Mme de

Clèves. Sitôt qu'elle le vit paraître au bout de la lice, elle sentit une émotion extraordinaire et, à toutes les courses de ce prince, elle avait de la peine à cacher sa joie, lorsqu'il avait heureusement fourni sa carrière[1].

Sur le soir comme tout était presque fini et que l'on était près de se retirer, le malheur de l'État fit que le Roi voulut encore rompre une lance. Il manda[2] au comte de Montgomery, qui était extrêmement adroit, qu'il se mît sur la lice. Le comte supplia le Roi de l'en dispenser et allégua toutes les excuses dont il put s'aviser, mais le Roi, quasi en colère, lui fit dire qu'il le voulait absolument. La Reine manda au Roi qu'elle le conjurait de ne plus courir ; qu'il avait si bien fait qu'il devait être content et qu'elle le suppliait de revenir auprès d'elle. Il répondit que c'était pour l'amour d'elle qu'il allait courir encore et entra dans la barrière. Elle lui renvoya M. de Savoie pour le prier une seconde fois de revenir ; mais tout fut inutile. Il courut ; les lances se brisèrent, et un éclat de celle du comte de Montgomery lui donna dans l'œil et y demeura. Ce prince tomba du coup, ses écuyers et M. de Montmorency, qui était un des maréchaux du camp, coururent à lui. Ils furent étonnés de le voir si blessé ; mais le roi ne s'étonna point. Il dit que c'était peu de chose, et qu'il pardonnait au comte de Montgomery. On peut juger quel trouble et quelle affliction apporta un accident si funeste dans une journée destinée à la joie. Sitôt que l'on eut porté le Roi dans son

1. « Carrière » : le mot désigne à l'origine le lieu où se passe le tournoi, la lice. Mais il peut signifier également, comme ici, la course même du cheval.
2. « Mander » : donner un ordre, ou, simplement, faire savoir.

lit, et que les chirurgiens eurent visité sa plaie, ils la trouvèrent très considérable. M. le Connétable se souvint, dans ce moment, de la prédiction que l'on avait faite au Roi, qu'il serait tué dans un combat singulier ; et il ne douta point que la prédiction ne fût accomplie.

Le roi d'Espagne qui était lors à Bruxelles, étant averti de cet accident, envoya son médecin, qui était un homme d'une grande réputation ; mais il jugea le Roi sans espérance [1].

Une cour aussi partagée et aussi remplie d'intérêts opposés n'était pas dans une médiocre agitation à la veille d'un si grand événement ; néanmoins, tous les mouvements étaient cachés et l'on ne paraissait occupé que de l'unique inquiétude de la santé du Roi. Les reines, les princes et les princesses ne sortaient presque point de son antichambre.

Mme de Clèves, sachant qu'elle était obligée d'y être, qu'elle y verrait M. de Nemours, qu'elle ne pourrait cacher à son mari l'embarras que lui causait cette vue, connaissant aussi que la seule présence de ce prince le justifiait à ses yeux et détruisait toutes ses résolutions, prit le parti de feindre d'être malade. La Cour était trop occupée pour avoir de l'attention à sa conduite et pour démêler si son mal était faux ou véritable. Son mari seul pouvait en connaître la vérité ; mais elle n'était pas fâchée qu'il la connût. Ainsi elle demeura chez elle, peu occupée du grand changement qui se préparait ; et, remplie de ses propres pensées, elle avait toute la liberté de

---

1. Le tournoi eut lieu le 30 juin 1659. Henri II mourut onze jours plus tard.

s'y abandonner. Tout le monde était chez le Roi. M. de
Clèves venait à de certaines heures lui en dire des nouvelles. Il conservait avec elle le même procédé qu'il
avait toujours eu, hors que, quand ils étaient seuls, il y
avait quelque chose d'un peu plus froid et de moins
libre. Il ne lui avait point reparlé de tout ce qui s'était
passé ; et elle n'avait pas eu la force et n'avait pas
même jugé à propos de reprendre cette conversation.

M. de Nemours, qui s'était attendu à trouver quelques
moments à parler à Mme de Clèves, fut bien surpris et
bien affligé de n'avoir pas seulement le plaisir de la
voir. Le mal du Roi se trouva si considérable que, le
septième jour, il fut désespéré des médecins. Il reçut la
certitude de sa mort avec une fermeté extraordinaire et
d'autant plus admirable qu'il perdait la vie par un accident si malheureux, qu'il mourait à la fleur de son âge,
heureux, adoré de ses peuples et aimé d'une maîtresse
qu'il aimait éperdument. La veille de sa mort, il fit faire
le mariage de Madame, sa sœur, avec M. de Savoie,
sans cérémonie. L'on peut juger en quel état était la duchesse de Valentinois. La Reine ne permit point qu'elle
vît le Roi et lui envoya demander les cachets[1] de ce
prince et les pierreries de la couronne qu'elle avait en
garde. Cette duchesse s'enquit si le Roi était mort ; et
comme on lui eut répondu que non :

— Je n'ai donc point encore de maître, répondit-elle,
et personne ne peut m'obliger à rendre ce que sa confiance m'a mis entre les mains.

Sitôt qu'il fut expiré au château des Tournelles, le duc

---

1. « Cachets » : sceaux.

de Ferrare, le duc de Guise et le duc de Nemours con-
duisirent au Louvre la Reine mère, le Roi et la Reine sa
femme[1]. M. de Nemours menait la Reine mère. Comme
ils commençaient à marcher, elle se recula de quelques
pas et dit à la Reine, sa belle-fille, que c'était à elle à
passer la première ; mais il fut aisé de voir qu'il y avait
plus d'aigreur que de bienséance dans ce compliment.

1. « Le Roi et la Reine » : il s'agit de François II, qui succède
à son père, et de sa femme, Marie Stuart.

QUATRIÈME PARTIE

Le cardinal de Lorraine s'était rendu maître absolu de l'esprit de la Reine mère ; le vidame de Chartres n'avait plus aucune part dans ses bonnes grâces et l'amour qu'il avait pour Mme de Martigues et pour la liberté l'avait même empêché de sentir cette perte autant qu'elle méritait d'être sentie. Ce cardinal, pendant les dix jours de la maladie du Roi, avait eu le loisir de former ses desseins et de faire prendre à la Reine des résolutions conformes à ce qu'il avait projeté ; de sorte que, sitôt que le Roi fut mort, la Reine ordonna au Connétable de demeurer aux Tournelles auprès du corps du feu Roi, pour faire les cérémonies ordinaires. Cette commission l'éloignait de tout et lui ôtait la liberté d'agir. Il envoya un courrier au roi de Navarre pour le faire venir en diligence, afin de s'opposer ensemble à la grande élévation où il voyait que MM. de Guise allaient parvenir. On donna le commandement des armées au duc de Guise et les finances au cardinal de Lorraine. La duchesse de Valentinois fut chassée de la Cour ; on fit revenir le cardinal de Tournon, ennemi déclaré du Connétable, et le chancelier Olivier, ennemi déclaré de la duchesse de Valentinois. Enfin, la Cour changea entièrement de face. Le duc de Guise prit le même rang que les princes du sang à porter le manteau du Roi aux cérémonies des funérailles ; lui et ses frères furent entièrement les maîtres, non seulement par le crédit du Cardinal sur l'esprit de la Reine, mais parce que cette princesse crut qu'elle pourrait les éloigner s'ils lui donnaient de l'ombrage et qu'elle ne pourrait éloigner le Connétable, qui était appuyé des princes du sang.

Lorsque les cérémonies du deuil furent achevées, le Connétable vint au Louvre et fut reçu du Roi avec beaucoup de froideur. Il voulut lui parler en particulier ; mais le Roi appela MM. de Guise et lui dit, devant eux, qu'il lui conseillait de se reposer ; que les finances et le commandement des armées étaient donnés et que, lorsqu'il aurait besoin de ses conseils, il l'appellerait auprès de sa personne. Il fut reçu de la Reine mère encore plus froidement que du Roi, et elle lui fit même des reproches de ce qu'il avait dit au feu Roi que ses enfants ne lui ressemblaient point. Le roi de Navarre arriva et ne fut pas mieux reçu. Le prince de Condé, moins endurant que son frère, se plaignit hautement ; ses plaintes furent inutiles, on l'éloigna de la Cour sous le prétexte de l'envoyer en Flandre signer la ratification de la paix. On fit voir au roi de Navarre une fausse lettre du roi d'Espagne qui l'accusait de faire des entreprises sur ses places ; on lui fit craindre pour ses terres ; enfin, on lui inspira le dessein de s'en aller en Béarn. La Reine lui en fournit un moyen en lui donnant la conduite de Mme Élisabeth et l'obligea même à partir devant cette princesse ; et

ainsi il ne demeura personne à la Cour qui pût balancer
le pouvoir de la maison de Guise[1].

Quoique ce fût une chose fâcheuse pour M. de Clèves
de ne pas conduire Mme Élisabeth, néanmoins il ne put
s'en plaindre par la grandeur de celui qu'on lui préfé-
rait ; mais il regrettait moins cet emploi par l'honneur
qu'il en eût reçu que parce que c'était une chose qui
éloignait sa femme de la Cour sans qu'il parût qu'il eût
dessein de l'en éloigner.

Peu de jours après la mort du Roi, on résolut d'aller
à Reims pour le sacre. Sitôt qu'on parla de ce voyage,
Mme de Clèves, qui avait toujours demeuré chez elle,
feignant d'être malade, pria son mari de trouver bon
qu'elle ne suivît point la Cour et qu'elle s'en allât à
Coulommiers prendre l'air et songer à sa santé. Il lui
répondit qu'il ne voulait point pénétrer si c'était la raison de sa santé qui l'obligeait à ne pas faire le voyage,
mais qu'il consentait qu'elle ne le fît point. Il n'eut pas
de peine à consentir à une chose qu'il avait déjà résolue : quelque bonne opinion qu'il eût de la vertu de sa
femme, il voyait bien que la prudence ne voulait pas
qu'il l'exposât plus longtemps à la vue d'un homme
qu'elle aimait.

M. de Nemours sut bientôt que Mme de Clèves ne
devait pas suivre la Cour ; il ne put se résoudre à partir
sans la voir et, la veille du départ, il alla chez elle aussi
tard que la bienséance le pouvait permettre, afin de la
trouver seule. La fortune favorisa son intention. Comme

1. Ce début de la quatrième partie, où nous apprenons les suites
politiques de la mort d'Henri II, suit fidèlement le récit de Mézeray.

il entra dans la cour, il trouva Mme de Nevers et Mme de Martigues qui en sortaient et qui lui dirent qu'elles l'avaient laissée seule. Il monta avec une agitation et un trouble qui ne se peut comparer qu'à celui qu'eut Mme de Clèves, quand on lui dit que M. de Nemours venait pour la voir. La crainte qu'elle eut qu'il ne lui parlât de sa passion, l'appréhension de lui répondre trop favorablement, l'inquiétude que cette visite pouvait donner à son mari, la peine de lui en rendre compte ou de lui cacher toutes ces choses, se présentèrent en un moment à son esprit et lui firent un si grand embarras qu'elle prit la résolution d'éviter la chose du monde qu'elle souhaitait peut-être le plus. Elle envoya une de ses femmes à M. de Nemours, qui était dans son antichambre, pour lui dire qu'elle venait de se trouver mal et qu'elle était bien fâchée de ne pouvoir recevoir l'honneur qu'il lui voulait faire. Quelle douleur pour ce prince de ne pas voir Mme de Clèves et de ne la pas voir parce qu'elle ne voulait pas qu'il la vît ! Il s'en allait le lendemain ; il n'avait plus rien à espérer du hasard. Il ne lui avait rien dit depuis cette conversation de chez Mme la Dauphine, et il avait lieu de croire que la faute d'avoir parlé au Vidame avait détruit toutes ses espérances ; enfin il s'en allait avec tout ce qui peut aigrir une vive douleur.

Sitôt que Mme de Clèves fut un peu remise du trouble que lui avait donné la pensée de la visite de ce prince, toutes les raisons qui la lui avaient fait refuser disparurent ; elle trouva même qu'elle avait fait une faute et, si elle eût osé ou qu'il eût encore été assez à temps, elle l'aurait fait rappeler.

Mmes de Nevers et de Martigues, en sortant de chez elle, allèrent chez la Reine Dauphine ; M. de Clèves y était. Cette princesse leur demanda d'où elles venaient ; elles lui dirent qu'elles venaient de chez Mme de Clèves où elles avaient passé une partie de l'après-dînée avec beaucoup de monde et qu'elles n'y avaient laissé que M. de Nemours. Ces paroles, qu'elles croyaient si indifférentes, ne l'étaient pas pour M. de Clèves. Quoiqu'il dût bien s'imaginer que M. de Nemours pouvait trouver souvent des occasions de parler à sa femme, néanmoins la pensée qu'il était chez elle, qu'il y était seul et qu'il lui pouvait parler de son amour lui parut dans ce moment une chose si nouvelle et si insupportable que la jalousie s'alluma dans son cœur avec plus de violence qu'elle n'avait encore fait. Il lui fut impossible de demeurer chez la Reine ; il s'en revint, ne sachant pas même pourquoi il revenait et s'il avait dessein d'aller interrompre M. de Nemours. Sitôt qu'il approcha de chez lui, il regarda s'il ne verrait rien qui lui pût faire juger si ce prince y était encore ; il sentit du soulagement en voyant qu'il n'y était plus et il trouva de la douceur à penser qu'il ne pouvait y avoir demeuré longtemps. Il s'imagina que ce n'était peut-être pas M. de Nemours, dont il devait être jaloux, et quoiqu'il n'en doutât point, il cherchait à en douter ; mais tant de choses l'en auraient persuadé qu'il ne demeurait pas longtemps dans cette incertitude qu'il désirait. Il alla d'abord dans la chambre de sa femme et, après lui avoir parlé quelque temps de choses indifférentes, il ne put s'empêcher de lui demander ce qu'elle avait fait et qui elle avait vu ; elle lui en rendit compte. Comme il vit qu'elle ne lui nommait point M. de Nemours, il lui demanda, en tremblant, si c'était tout ce qu'elle avait vu, afin de lui donner lieu de nommer ce prince et de n'avoir pas la douleur qu'elle lui en fît une finesse[1]. Comme elle ne l'avait point vu, elle ne le lui nomma point, et M. de Clèves reprenant la parole avec un ton qui marquait son affliction :

— Et M. de Nemours, lui dit-il, ne l'avez-vous point vu ou l'avez-vous oublié ?

— Je ne l'ai point vu, en effet, répondit-elle ; je me trouvais mal et j'ai envoyé une de mes femmes lui faire des excuses.

— Vous ne vous trouviez donc mal que pour lui, reprit M. de Clèves. Puisque vous avez vu tout le monde, pourquoi des distinctions pour M. de Nemours ? Pourquoi ne vous est-il pas comme un autre ? Pourquoi faut-il que vous craigniez sa vue ? Pourquoi lui laissez-vous voir que vous la craignez ? Pourquoi lui faites-vous connaître que vous vous servez du pouvoir que sa passion vous donne sur lui ? Oseriez-vous refuser de le voir si vous ne saviez bien qu'il distingue vos rigueurs de l'incivilité ? Mais pourquoi faut-il que vous ayez des rigueurs pour lui ? D'une personne comme vous, Madame, tout est des faveurs hors l'indifférence[2].

— Je ne croyais pas, reprit Mme de Clèves, quelque soupçon que vous ayez sur M. de Nemours, que vous puissiez me faire des reproches de ne l'avoir pas vu.

1. « Finesse » : au sens ancien, ruse, tromperie.
2. Valincour trouve ce mot « une des plus jolies choses qui aient jamais été dites ». Mais la suite du discours de Clèves lui paraît un peu théâtrale.

— Je vous en fais pourtant, Madame, répliqua-t-il, et ils sont bien fondés. Pourquoi ne le pas voir s'il ne vous a rien dit ? Mais, Madame, il vous a parlé ; si son silence seul vous avait témoigné sa passion, elle n'aurait pas fait en vous une si grande impression. Vous n'avez pu me dire la vérité tout entière, vous m'en avez caché la plus grande partie ; vous vous êtes repentie même du peu que vous m'avez avoué et vous n'avez pas eu la force de continuer. Je suis plus malheureux que je ne l'ai cru et je suis le plus malheureux de tous les hommes. Vous êtes ma femme, je vous aime comme ma maîtresse[1] et je vous en vois aimer un autre. Cet autre est le plus aimable de la Cour et il vous voit tous les jours, il sait que vous l'aimez. Eh ! j'ai pu croire, s'écria-t-il, que vous surmonteriez la passion que vous avez pour lui. Il faut que j'aie perdu la raison pour avoir cru qu'il fût possible[2].

— Je ne sais, reprit tristement Mme de Clèves, si vous avez eu tort de juger favorablement d'un procédé aussi extraordinaire que le mien ; mais je ne sais si je me suis trompée d'avoir cru que vous me feriez justice.

— N'en doutez pas, Madame, répliqua M. de Clèves, vous vous êtes trompée ; vous avez attendu de moi des choses aussi impossibles que celles que j'attendais de vous. Comment pouviez-vous espérer que je conservasse de la raison ? Vous aviez donc oublié que je vous aimais

1. « Femme » et « maîtresse » s'opposent comme « mari » et « amant ». Voir aussi p. 221, n. 2.
2. « Il », comme pronom neutre, garde encore, au XVIIe siècle, une valeur démonstrative : équivalent de « cela ».

éperdument et que j'étais votre mari ? L'un des deux
peut porter aux extrémités : que ne peuvent point les
deux ensemble ? Eh ! que ne font-ils point aussi, continua-t-il ; je n'ai que des sentiments violents et incertains
dont je ne suis pas le maître. Je ne me trouve plus digne
de vous ; vous ne me paraissez plus digne de moi. Je
vous adore, je vous hais ; je vous offense, je vous demande pardon ; je vous admire, j'ai honte de vous admirer. Enfin il n'y a plus en moi ni de calme, ni de raison.
Je ne sais comment j'ai pu vivre depuis que vous me
parlâtes à Coulommiers et depuis le jour que vous apprî-
tes de Mme la Dauphine que l'on savait votre aventure.
Je ne saurais démêler par où elle a été sue, ni ce qui se
passa entre M. de Nemours et vous sur ce sujet ; vous
ne me l'expliquerez jamais et je ne vous demande point
de me l'expliquer. Je vous demande seulement de vous
souvenir que vous m'avez rendu le plus malheureux
homme du monde.

M. de Clèves sortit de chez sa femme après ces paroles et partit le lendemain sans la voir ; mais il lui écrivit
une lettre pleine d'affliction, d'honnêteté et de douceur.
Elle y fit une réponse si touchante et si remplie d'assurances de sa conduite passée et de celle qu'elle aurait à
l'avenir que, comme ses assurances étaient fondées sur
la vérité et que c'étaient en effet ses sentiments, cette
lettre fit de l'impression sur M. de Clèves et lui donna
quelque calme ; joint que M. de Nemours, allant trouver
le Roi aussi bien que lui, il avait le repos de savoir qu'il
ne serait pas au même lieu que Mme de Clèves. Toutes
les fois que cette princesse parlait à son mari, la passion
qu'il lui témoignait, l'honnêteté de son procédé, l'amitié

qu'elle avait pour lui et ce qu'elle lui devait, faisaient
des impressions dans son cœur qui affaiblissaient l'idée
de M. de Nemours ; mais ce n'était que pour quelque
temps ; et cette idée revenait bientôt plus vive et plus
présente qu'auparavant.

Les premiers jours du départ de ce prince, elle ne sentit quasi pas son absence ; ensuite elle lui parut cruelle.
Depuis qu'elle l'aimait, il ne s'était point passé de jour
qu'elle n'eût craint ou espéré de le rencontrer et elle
trouva une grande peine à penser qu'il n'était plus au
pouvoir du hasard de faire qu'elle le rencontrât.

Elle s'en alla à Coulommiers ; et, en y allant, elle eut
soin d'y faire porter de grands tableaux que M. de
Clèves avait fait copier [1] sur des originaux qu'avait fait
faire Mme de Valentinois pour sa belle maison d'Anet.
Toutes les actions remarquables, qui s'étaient passées du
règne du Roi, étaient dans ces tableaux. Il y avait entre
autres le siège de Metz, et tous ceux qui s'y étaient distingués étaient peints fort ressemblants. M. de Nemours
était de ce nombre et c'était peut-être ce qui avait donné
envie à Mme de Clèves d'avoir ces tableaux.

Mme de Martigues, qui n'avait pu partir avec la Cour,

---

1. Valincour juge l'initiative de Mme de Clèves « inconsidérée ». Charnes répond, de façon un peu jésuitique, qu'elle serait
effectivement blâmable si la princesse avait fait porter à Coulommiers « un portrait particulier » de Nemours ; mais il ne s'agit que
de tableaux que « M. de Clèves avait fait faire » et qu'il destinait
précisément à sa maison de Coulommiers. Dans l'édition originale, on lit « qu'elle avait fait copier ». Était-ce une coquille ? Ou
ne faut-il pas penser plutôt que, par l'entremise de son défenseur,
c'est Mme de Lafayette qui se corrige elle-même ? Il semble logique, en tout cas, d'adopter la version Charnes.

lui promit d'aller passer quelques jours à Coulommiers. La faveur de la Reine qu'elles partageaient ne leur avait point donné d'envie, ni d'éloignement l'une de l'autre ; elles étaient amies sans néanmoins se confier leurs sentiments. Mme de Clèves savait que Mme de Martigues aimait le Vidame ; mais Mme de Martigues ne savait pas que Mme de Clèves aimât M. de Nemours, ni qu'elle en fût aimée. La qualité de nièce du Vidame rendait Mme de Clèves plus chère à Mme de Martigues ; et Mme de Clèves l'aimait aussi comme une personne qui avait une passion aussi bien qu'elle et qui l'avait pour l'ami intime de son amant.

Mme de Martigues vint à Coulommiers, comme elle l'avait promis à Mme de Clèves ; elle la trouva dans une vie fort solitaire. Cette princesse avait même cherché le moyen d'être dans une solitude entière et de passer les soirs dans les jardins sans être accompagnée de ses domestiques. Elle venait dans ce pavillon où M. de Nemours l'avait écoutée ; elle entrait dans le cabinet qui était ouvert sur le jardin. Ses femmes et ses domestiques demeuraient dans l'autre cabinet, ou sous le pavillon, et ne venaient point à elle qu'elle ne les appelât. Mme de Martigues n'avait jamais vu Coulommiers ; elle fut surprise de toutes les beautés qu'elle y trouva et surtout de l'agrément de ce pavillon. Mme de Clèves et elle y passaient tous les soirs. La liberté de se trouver seules la nuit, dans le plus beau lieu du monde, ne laissait pas finir la conversation entre deux jeunes personnes, qui avaient des passions violentes dans le cœur ; et, quoiqu'elles ne s'en fissent point de confidence, elles trouvaient un grand plaisir à se parler. Mme de Martigues aurait eu de la peine à quitter Coulommiers si, en le quittant, elle n'eût dû aller dans un lieu où était le Vidame. Elle partit pour aller à Chambord, où la Cour était alors.

Le sacre avait été fait à Reims par le cardinal de Lorraine, et l'on devait passer le reste de l'été dans le château de Chambord, qui était nouvellement bâti. La Reine témoigna une grande joie de revoir Mme de Martigues ; et, après lui en avoir donné plusieurs marques, elle lui demanda des nouvelles de Mme de Clèves et de ce qu'elle faisait à la campagne. M. de Nemours et M. de Clèves étaient alors chez cette reine. Mme de Martigues, qui avait trouvé Coulommiers admirable, en conta toutes les beautés, et elle s'étendit extrêmement sur la description de ce pavillon de la forêt et sur le plaisir qu'avait Mme de Clèves de s'y promener seule une partie de la nuit. M. de Nemours, qui connaissait assez le lieu pour entendre ce qu'en disait Mme de Martigues, pensa qu'il n'était pas impossible qu'il y pût voir Mme de Clèves sans être vu que d'elle. Il fit quelques questions à Mme de Martigues pour s'en éclaircir encore ; et M. de Clèves, qui l'avait toujours regardé pendant que Mme de Martigues avait parlé, crut voir dans ce moment ce qui lui passait dans l'esprit. Les questions que fit ce prince le confirmèrent encore dans cette pensée ; en sorte qu'il ne douta point qu'il n'eût dessein d'aller voir sa femme. Il ne se trompait pas dans ses soupçons. Ce dessein entra si fortement dans l'esprit de M. de Nemours qu'après avoir passé la nuit à songer aux moyens de l'exécuter, dès le lendemain matin, il demanda congé au Roi pour aller à Paris, sur quelque prétexte qu'il inventa.

M. de Clèves ne douta point du sujet de ce voyage ; mais il résolut de s'éclaircir de la conduite de sa femme et de ne pas demeurer dans une cruelle incertitude. Il eut envie de partir en même temps que M. de Nemours et de venir lui-même caché découvrir quel succès aurait ce voyage ; mais, craignant que son départ ne parût extraordinaire, et que M. de Nemours, en étant averti, ne prît d'autres mesures, il résolut de se fier à un gentilhomme qui était à lui, dont il connaissait la fidélité et l'esprit. Il lui conta dans quel embarras il se trouvait. Il lui dit quelle avait été jusqu'alors la vertu de Mme de Clèves et lui ordonna de partir sur les pas de M. de Nemours, de l'observer exactement, de voir s'il n'irait point à Coulommiers et s'il n'entrerait point la nuit dans le jardin.

Le gentilhomme, qui était très capable d'une telle commission, s'en acquitta avec toute l'exactitude imaginable. Il suivit M. de Nemours jusqu'à un village, à une demi-lieue de Coulommiers, où ce prince s'arrêta, et le gentilhomme devina aisément que c'était pour y attendre la nuit. Il ne crut pas à propos de l'y attendre aussi ; il passa le village et alla dans la forêt, à l'endroit par où il jugeait que M. de Nemours pouvait passer ; il ne se trompa point dans tout ce qu'il avait pensé. Sitôt que la nuit fut venue, il entendit marcher, et quoiqu'il fît obscur, il reconnut aisément M. de Nemours. Il le vit faire le tour du jardin, comme pour écouter s'il n'y entendrait personne et pour choisir le lieu par où il pourrait passer le plus aisément. Les palissades étaient fort hautes, et il y en avait encore derrière, pour empêcher qu'on ne pût entrer ; en sorte qu'il était assez difficile de se faire pas-

sage. M. de Nemours en vint à bout néanmoins ; sitôt
qu'il fut dans ce jardin, il n'eut pas de peine à démêler
où était Mme de Clèves. Il vit beaucoup de lumières
dans le cabinet ; toutes les fenêtres en étaient ouvertes
et, en se glissant le long des palissades, il s'en approcha
avec un trouble et une émotion qu'il est aisé de se représenter. Il se rangea derrière une des fenêtres, qui ser-
vaient de porte, pour voir ce que faisait Mme de Clèves.
Il vit qu'elle était seule ; mais il la vit d'une si admirable
beauté qu'à peine fut-il maître du transport que lui
donna cette vue. Il faisait chaud, et elle n'avait rien, sur
sa tête et sur sa gorge, que ses cheveux confusément
rattachés. Elle était sur un lit de repos, avec une table
devant elle, où il y avait plusieurs corbeilles pleines de
rubans ; elle en choisit quelques-uns, et M. de Nemours
remarqua que c'étaient des mêmes couleurs qu'il avait
portées au tournoi. Il vit qu'elle en faisait des nœuds à
une canne des Indes, fort extraordinaire, qu'il avait portée quelque temps et qu'il avait donnée à sa sœur, à qui
Mme de Clèves l'avait prise sans faire semblant de la
reconnaître pour avoir été à M. de Nemours [1]. Après
qu'elle eut achevé son ouvrage avec une grâce et une
douceur que répandaient sur son visage les sentiments

1. Ce passage étrange a suscité des commentaires divers. Jean
Mesnard (p. 47 de l'édition GF) se demande si la canne dérobée
à Nemours ne serait pas plutôt un bâton, équivalant au « stick »
de l'officier, « symbole de puissance ». Michel Butor (*Répertoire*,
p. 76) donne de la scène une lecture psychanalytique : la canne
des Indes est pour lui un objet phallique. Interprétation qui laisse
Jean Rousset « réticent » (*Forme et signification*, p. 27). Voir là-
dessus les réflexions de Maurice Laugaa (*Lectures de Mme de
Lafayette*, p. 297-300).

qu'elle avait dans le cœur, elle prit un flambeau et s'en alla, proche d'une grande table, vis-à-vis du tableau du siège de Metz, où était le portrait de M. de Nemours ; elle s'assit et se mit à regarder ce portrait avec une attention et une rêverie que la passion seule peut donner.

On ne peut exprimer ce que sentit M. de Nemours dans ce moment. Voir au milieu de la nuit, dans le plus beau lieu du monde, une personne qu'il adorait, la voir sans qu'elle sût qu'il la voyait, et la voir tout occupée de choses qui avaient du rapport à lui et à la passion qu'elle lui cachait, c'est ce qui n'a jamais été goûté ni imaginé par nul autre amant.

Ce prince était aussi tellement hors de lui-même qu'il demeurait immobile à regarder Mme de Clèves, sans songer que les moments lui étaient précieux. Quand il fut un peu remis, il pensa qu'il devait attendre à[1] lui parler qu'elle allât dans le jardin ; il crut qu'il le pourrait faire avec plus de sûreté, parce qu'elle serait plus éloignée de ses femmes ; mais, voyant qu'elle demeurait dans le cabinet, il prit la résolution d'y entrer. Quand il voulut l'exécuter, quel trouble n'eut-il point ! Quelle crainte de lui déplaire ! Quelle peur de faire changer ce visage où il y avait tant de douceur et de le voir devenir plein de sévérité et de colère !

Il trouva qu'il y avait eu de la folie, non pas à venir voir Mme de Clèves sans en être vu, mais à penser de s'en faire voir ; il vit tout ce qu'il n'avait point encore envisagé. Il lui parut de l'extravagance dans sa hardiesse

---

1. « Attendre à » : attendre pour.

de venir surprendre, au milieu de la nuit, une personne à qui il n'avait encore jamais parlé de son amour. Il pensa qu'il ne devait pas prétendre qu'elle le voulût écouter, et qu'elle aurait une juste colère du péril où il l'exposait par les accidents qui pouvaient arriver. Tout son courage l'abandonna, et il fut prêt plusieurs fois à prendre la résolution de s'en retourner sans se faire voir. Poussé néanmoins par le désir de lui parler, et rassuré par les espérances que lui donnait tout ce qu'il avait vu, il avança quelques pas, mais avec tant de trouble qu'une écharpe qu'il avait s'embarrassa dans la fenêtre, en sorte qu'il fit du bruit. Mme de Clèves tourna la tête, et, soit qu'elle eût l'esprit rempli de ce prince, ou qu'il fût dans un lieu où la lumière donnait assez pour qu'elle le pût distinguer, elle crut le reconnaître et sans balancer ni se retourner du côté où il était, elle entra dans le lieu où étaient ses femmes. Elle y entra avec tant de trouble qu'elle fut contrainte, pour le cacher, de dire qu'elle se trouvait mal ; et elle le dit aussi pour occuper tous ses gens et pour donner le temps à M. de Nemours de se retirer. Quand elle eut fait quelque réflexion, elle pensa qu'elle s'était trompée et que c'était un effet de son imagination d'avoir cru voir M. de Nemours. Elle savait qu'il était à Chambord, elle ne trouvait nulle apparence qu'il eût entrepris une chose si hasardeuse ; elle eut envie plusieurs fois de rentrer dans le cabinet et d'aller voir dans le jardin s'il y avait quelqu'un. Peut-être souhaitait-elle, autant qu'elle le craignait, d'y trouver M. de Nemours ; mais enfin la raison et la prudence l'emportèrent sur tous ses autres sentiments, et elle trouva qu'il valait mieux demeurer dans le doute où elle était que de prendre le hasard de s'en éclaircir. Elle fut longtemps à se résoudre à sortir d'un lieu dont elle pensait que ce prince était peut-être si proche, et il était quasi jour quand elle revint au château.

M. de Nemours était demeuré dans le jardin tant qu'il avait vu de la lumière ; il n'avait pu perdre l'espérance de revoir Mme de Clèves, quoiqu'il fût persuadé qu'elle l'avait reconnu et qu'elle n'était sortie que pour l'éviter ; mais voyant qu'on fermait les portes, il jugea bien qu'il n'avait plus rien à espérer. Il vint reprendre son cheval tout proche du lieu où attendait le gentilhomme de M. de Clèves. Ce gentilhomme le suivit jusqu'au même village, d'où il était parti le soir. M. de Nemours se résolut d'y passer tout le jour, afin de retourner la nuit à Coulommiers, pour voir si Mme de Clèves aurait encore la cruauté de le fuir, ou celle de ne se pas exposer à être vue ; quoiqu'il eût une joie sensible de l'avoir trouvée si remplie de son idée, il était néanmoins très affligé de lui avoir vu un mouvement si naturel de le fuir.

La passion n'a jamais été si tendre et si violente qu'elle l'était alors en ce prince. Il s'en alla sous des saules, le long d'un petit ruisseau qui coulait derrière la maison où il était caché. Il s'éloigna le plus qu'il lui fut possible, pour n'être vu ni entendu de personne ; il s'abandonna aux transports de son amour et son cœur en fut tellement pressé qu'il fut contraint de laisser couler quelques larmes ; mais ces larmes n'étaient pas de celles que la douleur seule fait répandre, elles étaient mêlées de douceur et de ce charme qui ne se trouve que dans l'amour.

Il se mit à repasser toutes les actions de Mme de Clèves depuis qu'il en était amoureux ; quelle rigueur honnête et modeste elle avait toujours eue pour lui, quoiqu'elle l'aimât. Car, enfin, elle m'aime, disait-il ; elle m'aime, je n'en saurais douter ; les plus grands engagements[1] et les plus grandes faveurs ne sont pas des marques si assurées que celles que j'en ai eues. Cependant je suis traité avec la même rigueur que si j'étais haï, j'ai espéré au temps[2], je n'en dois plus rien attendre ; je la vois toujours se défendre également contre moi et contre elle-même. Si je n'étais point aimé, je songerais à plaire ; mais je plais, on m'aime, et on me le cache. Que puis-je donc espérer, et quel changement dois-je attendre dans ma destinée ? Quoi ! je serai aimé de la plus aimable personne du monde et je n'aurai cet excès d'amour que donnent les premières certitudes d'être aimé que pour mieux sentir la douleur d'être maltraité ! Laissez-moi voir que vous m'aimez, belle princesse, s'écria-t-il, laissez-moi voir vos sentiments ; pourvu que je les connaisse par vous une fois en ma vie, je consens que vous repreniez pour toujours ces rigueurs dont vous m'accabliez. Regardez-moi du moins avec ces mêmes yeux dont je vous ai vue cette nuit regarder mon portrait ; pouvez-vous l'avoir regardé avec tant de douceur et m'avoir fui moi-même si cruellement ? Que craignez-vous ? Pourquoi mon amour vous est-il si redoutable ? Vous m'aimez, vous me le cachez inutilement ; vous-même m'en avez donné des marques involontaires. Je sais mon bonheur ; laissez-m'en jouir, et ces-

1. « Engagements » : promesses.
2. « Espérer à » : avoir confiance en.

sez de me rendre malheureux. Est-il possible, reprenait-
il, que je sois aimé de Mme de Clèves et que je sois
malheureux ? Qu'elle était belle cette nuit ! Comment
ai-je pu résister à l'envie de me jeter à ses pieds ? Si je
l'avais fait, je l'aurais peut-être empêchée de me fuir,
mon respect l'aurait rassurée. Mais peut-être elle ne m'a
pas reconnu ; je m'afflige plus que je ne dois, et la
vue d'un homme, à une heure si extraordinaire, l'a effrayée.

Ces mêmes pensées occupèrent tout le jour M. de Nemours ; il attendit la nuit avec impatience ; et, quand elle
fut venue, il reprit le chemin de Coulommiers. Le gentilhomme de M. de Clèves, qui s'était déguisé afin d'être
moins remarqué, le suivit jusqu'au lieu où il l'avait suivi
le soir d'auparavant et le vit entrer dans le même jardin.
Ce prince connut bientôt que Mme de Clèves n'avait pas
voulu hasarder qu'il essayât encore de la voir ; toutes les
portes étaient fermées. Il tourna de tous les côtés pour
découvrir s'il ne verrait point de lumières ; mais ce fut
inutilement.

Mme de Clèves, s'étant doutée que M. de Nemours
pourrait revenir, était demeurée dans sa chambre ; elle
avait appréhendé[1] de n'avoir pas toujours la force de le
fuir, et elle n'avait pas voulu se mettre au hasard de lui
parler d'une manière si peu conforme à la conduite
qu'elle avait eue jusqu'alors.

Quoique M. de Nemours n'eût aucune espérance de
la voir, il ne put se résoudre à sortir si tôt d'un lieu où

—————
1. « Appréhender » : originellement, prendre. À partir du
xvie siècle, s'y ajoute le sens de craindre.

elle était si souvent. Il passa la nuit entière dans le jardin et trouva quelque consolation à voir du moins les mêmes objets qu'elle voyait tous les jours. Le soleil était levé devant qu'il pensât à se retirer ; mais enfin la crainte d'être découvert l'obligea à s'en aller.

Il lui fut impossible de s'éloigner sans voir Mme de Clèves ; et il alla chez Mme de Mercœur, qui était alors dans cette maison qu'elle avait proche de Coulommiers. Elle fut extrêmement surprise de l'arrivée de son frère. Il inventa une cause de son voyage, assez vraisemblable pour la tromper, et enfin il conduisit si habilement son dessein qu'il l'obligea à lui proposer d'elle-même d'aller chez Mme de Clèves. Cette proposition fut exécutée dès le même jour, et M. de Nemours dit à sa sœur qu'il la quitterait à Coulommiers pour s'en retourner en diligence trouver le Roi. Il fit ce dessein de la quitter à Coulommiers dans la pensée de l'en laisser partir la première ; et il crut avoir trouvé un moyen infaillible de parler à Mme de Clèves.

Comme ils arrivèrent, elle se promenait dans une grande allée qui borde le parterre. La vue de M. de Nemours ne lui causa pas un médiocre trouble et ne lui laissa plus de douter [1] que ce ne fût lui qu'elle avait vu la nuit précédente. Cette certitude lui donna quelque mouvement de colère, par la hardiesse et l'imprudence qu'elle trouvait dans ce qu'il avait entrepris. Ce prince remarqua une impression de froideur sur son visage

---

1. « Ne lui laissa plus de douter » : il faut comprendre : « ne lui permit plus de douter ». À moins qu'il ne s'agisse ici encore d'une coquille et qu'il ne faille lire plus simplement : « ne lui laissa plus douter ». C'est la solution adoptée par J. Mesnard.

qui lui donna une sensible douleur. La conversation fut de choses indifférentes ; et, néanmoins, il trouva l'art d'y faire paraître tant d'esprit, tant de complaisance [1] et tant d'admiration pour Mme de Clèves qu'il dissipa, malgré elle, une partie de la froideur qu'elle avait eue d'abord.

Lorsqu'il se sentit rassuré de sa première crainte, il témoigna une extrême curiosité d'aller voir le pavillon de la forêt. Il en parla comme du plus agréable lieu du monde et en fit même une description si particulière que Mme de Mercœur lui dit qu'il fallait qu'il y eût été plusieurs fois pour en connaître si bien toutes les beautés.

— Je ne crois pourtant pas, reprit Mme de Clèves, que M. de Nemours y ait jamais entré [2] ; c'est un lieu qui n'est achevé que depuis peu.

— Il n'y a pas longtemps aussi que j'y ai été, reprit M. de Nemours en la regardant, et je ne sais si je ne dois point être bien aise que vous ayez oublié de m'y avoir vu.

Mme de Mercœur, qui regardait la beauté des jardins, n'avait point d'attention à ce que disait son frère. Mme de Clèves rougit et, baissant les yeux sans regarder M. de Nemours :

— Je ne me souviens point, lui dit-elle, de vous y avoir vu ; et, si vous y avez été, c'est sans que je l'aie su.

— Il est vrai, Madame, répliqua M. de Nemours, que

1. « Complaisance » : au sens ancien, volonté de plaire.
2. « Entrer » pouvait autrefois se conjuguer avec « être » ou « avoir », selon qu'on voulait insister sur l'action ou sur l'état.

j'y ai été sans vos ordres, et j'y ai passé les plus doux et les plus cruels moments de ma vie.

Mme de Clèves entendait trop bien tout ce que disait ce prince, mais elle n'y répondit point ; elle songea à empêcher Mme de Mercœur d'aller dans ce cabinet, parce que le portrait de M. de Nemours y était et qu'elle ne voulait pas qu'elle l'y vît. Elle fit si bien que le temps se passa insensiblement, et Mme de Mercœur parla de s'en retourner. Mais quand Mme de Clèves vit que M. de Nemours et sa sœur ne s'en allaient pas ensemble, elle jugea bien à quoi elle allait être exposée ; elle se trouva dans le même embarras où elle s'était trouvée à Paris et elle prit aussi le même parti. La crainte que cette visite ne fût encore une confirmation des soupçons qu'avait son mari ne contribua pas peu à la déterminer ; et, pour éviter que M. de Nemours ne demeurât seul avec elle, elle dit à Mme de Mercœur qu'elle l'allait conduire jusques au bord de la forêt, et elle ordonna que son carrosse la suivît. La douleur qu'eut ce prince de trouver toujours cette même continuation des rigueurs en Mme de Clèves fut si violente qu'il en pâlit dans le même moment. Mme de Mercœur lui demanda s'il se trouvait mal ; mais il regarda Mme de Clèves, sans que personne s'en aperçût, et il lui fit juger par ses regards qu'il n'avait d'autre mal que son désespoir. Cependant il fallut qu'il les laissât partir sans oser les suivre, et, après ce qu'il avait dit, il ne pouvait plus retourner avec sa sœur ; ainsi, il revint à Paris, et en partit le lendemain.

Le gentilhomme de M. de Clèves l'avait toujours observé : il revint aussi à Paris et, comme il vit M. de

Nemours parti pour Chambord, il prit la poste afin d'y arriver devant lui et de rendre compte de son voyage. Son maître attendait son retour comme ce qui allait décider du malheur de toute sa vie.

Sitôt qu'il le vit, il jugea, par son visage et par son silence, qu'il n'avait que des choses fâcheuses à lui apprendre. Il demeura quelque temps saisi d'affliction, la tête baissée sans pouvoir parler ; enfin, il lui fit signe de la main de se retirer :

— Allez, lui dit-il, je vois ce que vous avez à me dire ; mais je n'ai pas la force de l'écouter.

— Je n'ai rien à vous apprendre, lui répondit le gentilhomme, sur quoi on puisse faire de jugement assuré [1]. Il est vrai que M. de Nemours a entré deux nuits de suite dans le jardin de la forêt, et qu'il a été le jour d'après à Coulommiers avec Mme de Mercœur.

— C'est assez, répliqua M. de Clèves, c'est assez, en lui faisant encore signe de se retirer, et je n'ai pas besoin d'un plus grand éclaircissement.

Le gentilhomme fut contraint de laisser son maître abandonné à son désespoir. Il n'y en a peut-être jamais eu un plus violent, et peu d'hommes d'un aussi grand courage et d'un cœur aussi passionné que M. de Clèves, ont ressenti en même temps la douleur que cause l'infidélité d'une maîtresse et la honte d'être trompé par une femme [2].

1. Comme le souligne Valincour, c'est pourtant sans avoir obtenu ce « jugement assuré » que le prince de Clèves va se laisser mourir de désespoir.
2. Notons la nuance : douleur d'un côté, honte de l'autre. L'infidélité de la maîtresse ne surprend pas ; celle de la femme humilie.

M. de Clèves ne put résister à l'accablement où il se
trouva. La fièvre lui prit dès la nuit même, et avec de si
grands accidents [1] que, dès ce moment, sa maladie parut
très dangereuse. On en donna avis à Mme de Clèves ;
elle vint en diligence. Quand elle arriva, il était encore
plus mal, elle lui trouva quelque chose de si froid et de
si glacé pour elle qu'elle en fut extrêmement surprise et
affligée. Il lui parut même qu'il recevait avec peine les
services qu'elle lui rendait ; mais enfin elle pensa que
c'était peut-être un effet de sa maladie.

D'abord qu'elle fut à Blois où la Cour était alors,
M. de Nemours ne put s'empêcher d'avoir de la joie de
savoir qu'elle était dans le même lieu que lui. Il essaya
de la voir et alla tous les jours chez M. de Clèves, sur
le prétexte de savoir de ses nouvelles ; mais ce fut inutilement. Elle ne sortait point de la chambre de son mari
et avait une douleur violente de l'état où elle le voyait.
M. de Nemours était désespéré qu'elle fût si affligée ;
il jugeait aisément combien cette affliction renouvelait
l'amitié qu'elle avait pour M. de Clèves, et combien
cette amitié faisait une diversion dangereuse à la passion
qu'elle avait dans le cœur. Ce sentiment lui donna un
chagrin mortel pendant quelque temps ; mais, l'extrémité du mal de M. de Clèves lui ouvrit de nouvelles
espérances. Il vit que Mme de Clèves serait peut-être en
liberté de suivre son inclination et qu'il pourrait trouver
dans l'avenir une suite de bonheur et de plaisirs dura-
bles. Il ne pouvait soutenir cette pensée, tant elle lui
donnait de trouble et de transports, et il en éloignait son

---

1. Employé au XVIIe siècle dans un sens médical ; on parlerait
aujourd'hui de « complications ».

esprit par la crainte de se trouver trop malheureux, s'il venait à perdre ses espérances.

Cependant M. de Clèves était presque abandonné des médecins. Un des derniers jours de son mal, après avoir passé une nuit très fâcheuse, il dit sur le matin qu'il voulait reposer. Mme de Clèves demeura seule dans sa chambre ; il lui parut qu'au lieu de reposer, il avait beaucoup d'inquiétude. Elle s'approcha et se vint mettre à genoux devant son lit, le visage tout couvert de larmes. M. de Clèves avait résolu de ne lui point témoigner le violent chagrin qu'il avait contre elle ; mais les soins qu'elle lui rendait, et son affliction, qui lui paraissait quelquefois véritable et qu'il regardait aussi quelquefois comme des marques de dissimulation et de perfidie, lui causaient des sentiments si opposés et si douloureux qu'il ne les put renfermer en lui-même.

— Vous versez bien des pleurs, Madame, lui dit-il, pour une mort que vous causez et qui ne vous peut donner la douleur que vous faites paraître. Je ne suis plus en état de vous faire des reproches, continua-t-il avec une voix affaiblie par la maladie et par la douleur ; mais je meurs du cruel déplaisir que vous m'avez donné. Fallait-il qu'une action aussi extraordinaire que celle que vous aviez faite de me parler à Coulommiers eût si peu de suite ? Pourquoi m'éclairer sur la passion que vous aviez pour M. de Nemours, si votre vertu n'avait pas plus d'étendue[1] pour y résister ? Je vous aimais jusqu'à être bien aise d'être trompé, je l'avoue à ma

---

1. « Étendue » : par analogie, durée, longueur.

honte ; j'ai regretté ce faux repos dont vous m'avez tiré. Que ne me laissiez-vous dans cet aveuglement tranquille dont jouissent tant de maris ? J'eusse, peut-être, ignoré toute ma vie que vous aimiez M. de Nemours. Je mourrai, ajouta-t-il ; mais sachez que vous me rendez la mort agréable, et qu'après m'avoir ôté l'estime et la tendresse que j'avais pour vous, la vie me ferait horreur. Que ferais-je de la vie, reprit-il, pour la passer avec une personne que j'ai tant aimée, et dont j'ai été si cruellement trompé, ou pour vivre séparé de cette même personne, et en venir à un éclat et à des violences si opposées à mon humeur et à la passion que j'avais pour vous ? Elle a été au-delà de ce que vous en avez vu, Madame ; je vous en ai caché la plus grande partie, par la crainte de vous importuner, ou de perdre quelque chose de votre estime, par des manières qui ne convenaient pas à un mari. Enfin je méritais votre cœur ; encore une fois, je meurs sans regret, puisque je n'ai pu l'avoir, et que je ne puis plus le désirer. Adieu, Madame, vous regretterez quelque jour un homme qui vous aimait d'une passion véritable et légitime. Vous sentirez le chagrin que trouvent les personnes raisonnables dans ces engagements [1], et vous connaîtrez la différence d'être aimée, comme je vous aimais, à l'être par des gens qui, en vous témoignant de l'amour, ne cherchent que l'honneur de vous séduire. Mais ma mort vous laissera en liberté, ajouta-t-il, et vous pourrez rendre M. de Nemours heureux, sans qu'il vous en coûte des crimes. Qu'importe, reprit-il, ce qui arrivera quand je ne serai plus, et faut-il que j'aie la faiblesse d'y jeter les yeux !

---

1. Ici, au sens de « liaison amoureuse ».

Mme de Clèves était si éloignée de s'imaginer que son mari pût avoir des soupçons contre elle qu'elle écouta toutes ces paroles sans les comprendre, et sans avoir d'autre idée, sinon qu'il lui reprochait son inclination pour M. de Nemours ; enfin, sortant tout d'un coup de son aveuglement :

— Moi, des crimes ! s'écria-t-elle ; la pensée même m'en est inconnue. La vertu la plus austère ne peut inspirer d'autre conduite que celle que j'ai eue ; et je n'ai jamais fait d'action dont je n'eusse souhaité que vous eussiez été témoin.

— Eussiez-vous souhaité, répliqua M. de Clèves, en la regardant avec dédain, que je l'eusse été des nuits que vous avez passées avec M. de Nemours ? Ah ! Madame, est-ce de vous dont je parle, quand je parle d'une femme qui a passé des nuits avec un homme ?

— Non, Monsieur, reprit-elle ; non, ce n'est pas de moi dont vous parlez. Je n'ai jamais passé ni de nuits ni de moments avec M. de Nemours. Il ne m'a jamais vue en particulier ; je ne l'ai jamais souffert, ni écouté, et j'en ferais tous les serments...

— N'en dites pas davantage, interrompit M. de Clèves ; de faux serments ou un aveu me feraient peut-être une égale peine.

Mme de Clèves ne pouvait répondre ; ses larmes et sa douleur lui ôtaient la parole ; enfin, faisant un effort :

— Regardez-moi du moins ; écoutez-moi, lui dit-elle. S'il n'y allait que de mon intérêt, je souffrirais ces reproches ; mais il y va de votre vie. Écoutez-moi, pour l'amour de vous-même : il est impossible qu'avec tant de vérité, je ne vous persuade mon innocence.

— Plût à Dieu que vous me la puissiez persuader !
s'écria-t-il ; mais que me pouvez-vous dire ? M. de Nemours n'a-t-il pas été à Coulommiers avec sa sœur ? Et
n'avait-il pas passé les deux nuits précédentes avec vous
dans le jardin de la forêt ?

— Si c'est là mon crime, répliqua-t-elle, il m'est aisé
de me justifier. Je ne vous demande point de me croire ;
mais croyez tous vos domestiques, et sachez si j'allai
dans le jardin de la forêt la veille que M. de Nemours
vint à Coulommiers, et si je n'en sortis pas le soir
d'auparavant deux heures plus tôt que je n'avais accoutumé.

Elle lui conta ensuite comme elle avait cru voir quelqu'un dans ce jardin. Elle lui avoua qu'elle avait cru que
c'était M. de Nemours. Elle lui parla avec tant d'assurance, et la vérité se persuade si aisément lors même
qu'elle n'est pas vraisemblable [1], que M. de Clèves fut
presque convaincu de son innocence.

— Je ne sais, lui dit-il, si je me dois laisser aller à
vous croire. Je me sens si proche de la mort que je ne
veux rien voir de ce qui me pourrait faire regretter la
vie. Vous m'avez éclairci trop tard ; mais ce me sera
toujours un soulagement d'emporter la pensée que vous
êtes digne de l'estime que j'ai eue pour vous. Je vous
prie que je puisse encore avoir la consolation de croire
que ma mémoire vous sera chère et que, s'il eût dépendu
de vous, vous eussiez eu pour moi les sentiments que
vous avez pour un autre.

---

1. Cette opposition entre vérité et vraisemblance sera au cœur
de toutes les discussions sur le roman jusqu'à la fin du XVIIIe
siècle. Voir, par exemple, la réaction de Bussy-Rabutin à la scène
de l'aveu, ci-dessous, p. 265.

Il voulut continuer ; mais une faiblesse lui ôta la parole. Mme de Clèves fit venir les médecins ; ils le trouvèrent presque sans vie. Il languit néanmoins encore quelques jours et mourut enfin avec une constance admirable.

Mme de Clèves demeura dans une affliction si violente qu'elle perdit quasi l'usage de la raison. La Reine la vint voir avec soin et la mena dans un couvent sans qu'elle sût où on la conduisait. Ses belles-sœurs la ramenèrent à Paris, qu'elle n'était pas encore en état de sentir distinctement sa douleur. Quand elle commença d'avoir la force de l'envisager et qu'elle vit quel mari elle avait perdu, qu'elle considéra qu'elle était la cause de sa mort, et que c'était par la passion qu'elle avait eue pour un autre qu'elle en était cause, l'horreur qu'elle eut pour elle-même et pour M. de Nemours ne se peut représenter.

Ce prince n'osa, dans ces commencements, lui rendre d'autres soins [1] que ceux que lui ordonnait la bienséance. Il connaissait assez Mme de Clèves pour croire qu'un plus grand empressement lui serait désagréable ; mais ce qu'il apprit ensuite lui fit bien voir qu'il devait avoir longtemps la même conduite.

Un écuyer qu'il avait lui conta que le gentilhomme de M. de Clèves, qui était son ami intime, lui avait dit, dans sa douleur de la perte de son maître, que le voyage de M. de Nemours à Coulommiers était cause de sa mort. M. de Nemours fut extrêmement surpris de ce discours ;

---

1. « Soins » : mot vague, souvent utilisé dans le vocabulaire amoureux. Ici, égards, attentions.

mais après y avoir fait réflexion, il devina une partie
de la vérité, et il jugea bien quels seraient d'abord les
sentiments de Mme de Clèves et quel éloignement elle
aurait de lui, si elle croyait que le mal de son mari eût
été causé par la jalousie. Il crut qu'il ne fallait pas même
la faire sitôt souvenir de son nom ; et il suivit cette conduite, quelque pénible qu'elle lui parût.

Il fit un voyage à Paris et ne put s'empêcher néanmoins d'aller à sa porte pour apprendre de ses nouvelles.
On lui dit que personne ne la voyait et qu'elle avait
même défendu qu'on lui rendît compte de ceux qui
l'iraient chercher. Peut-être que ses ordres si exacts
étaient donnés en vue de ce prince, et pour ne point entendre parler de lui. M. de Nemours était trop amoureux
pour pouvoir vivre si absolument privé de la vue de
Mme de Clèves. Il résolut de trouver des moyens, quelque difficiles qu'ils pussent être, de sortir d'un état qui
lui paraissait si insupportable.

La douleur de cette princesse passait les bornes de la
raison. Ce mari mourant, et mourant à cause d'elle et
avec tant de tendresse pour elle, ne lui sortait point de
l'esprit. Elle repassait incessamment tout ce qu'elle lui
devait, et elle se faisait un crime de n'avoir pas eu de la
passion pour lui, comme si c'eût été une chose qui eût
été en son pouvoir. Elle ne trouvait de consolation
qu'à penser qu'elle le regrettait autant qu'il méritait
d'être regretté et qu'elle ne ferait dans le reste de sa vie
que ce qu'il aurait été bien aise qu'elle eût fait s'il avait
vécu.

Elle avait pensé plusieurs fois comment il avait su
que M. de Nemours était venu à Coulommiers ; elle ne

soupçonnait pas ce prince de l'avoir conté, et il lui paraissait même indifférent qu'il l'eût redit, tant elle se croyait guérie et éloignée de la passion qu'elle avait eue pour lui. Elle sentait néanmoins une douleur vive de s'imaginer qu'il était cause de la mort de son mari, et elle se souvenait avec peine de la crainte que M. de Clèves lui avait témoignée en mourant qu'elle ne l'épousât ; mais toutes ces douleurs se confondaient dans celle de la perte de son mari, et elle croyait n'en avoir point d'autre.

Après que plusieurs mois furent passés, elle sortit de cette violente affliction où elle était et passa dans un état de tristesse et de langueur. Mme de Martigues fit un voyage à Paris, et la vit avec soin pendant le séjour qu'elle y fit. Elle l'entretint de la Cour et de tout ce qui s'y passait ; et, quoique Mme de Clèves ne parût pas y prendre intérêt, Mme de Martigues ne laissait pas de lui en parler pour la divertir.

Elle lui conta des nouvelles du Vidame, de M. de Guise et de tous les autres qui étaient distingués par leur personne ou par leur mérite.

— Pour M. de Nemours, dit-elle, je ne sais si les affaires ont pris dans son cœur la place de la galanterie ; mais il a bien moins de joie qu'il n'avait accoutumé d'en avoir, il paraît fort retiré du commerce des femmes. Il fait souvent des voyages à Paris et je crois même qu'il y est présentement.

Le nom de M. de Nemours surprit Mme de Clèves et la fit rougir. Elle changea de discours, et Mme de Martigues ne s'aperçut point de son trouble.

Le lendemain, cette princesse, qui cherchait des occu-

pations conformes à l'état où elle était, alla proche de[1]
chez elle voir un homme qui faisait des ouvrages de soie
d'une façon particulière ; et elle y fut dans le dessein
d'en faire de semblables. Après qu'on les lui eut mon-
trés, elle vit la porte d'une chambre où elle crut qu'il y
en avait encore ; elle dit qu'on la lui ouvrît. Le maître
répondit qu'il n'en avait pas la clef et qu'elle était occupée par un homme qui y venait quelquefois pendant le
jour pour dessiner de belles maisons et des jardins que
l'on voyait de ses fenêtres.

— C'est l'homme du monde le mieux fait, ajouta-
t-il ; il n'a guère la mine d'être réduit à gagner sa vie.
Toutes les fois qu'il vient céans[2], je le vois toujours regarder les maisons et les jardins ; mais je ne le vois
jamais travailler.

Mme de Clèves écoutait ce discours avec une grande
attention. Ce que lui avait dit Mme de Martigues, que
M. de Nemours était quelquefois à Paris, se joignit, dans
son imagination, à cet homme bien fait qui venait proche de chez elle, et lui fit une idée de M. de Nemours,
et de M. de Nemours appliqué à la voir, qui lui donna
un trouble confus, dont elle ne savait pas même la
cause. Elle alla vers les fenêtres pour voir où elles donnaient ; elle trouva qu'elles voyaient tout son jardin et
la face de son appartement. Et, lorsqu'elle fut dans sa
chambre, elle remarqua aisément cette même fenêtre où
l'on lui avait dit que venait cet homme. La pensée que
c'était M. de Nemours changea entièrement la situation

1. « Proche de » : au sens ancien, près de.
2. « Céans » : ici, dans ce lieu même.

de son esprit ; elle ne se trouva plus dans un certain triste repos qu'elle commençait à goûter, elle se sentit inquiète et agitée. Enfin, ne pouvant demeurer avec elle-même, elle sortit et alla prendre l'air dans le jardin hors des faubourgs, où elle pensait être seule. Elle crut en y arrivant qu'elle ne s'était pas trompée ; elle ne vit aucune apparence qu'il y eût quelqu'un et elle se promena assez longtemps.

Après avoir traversé un petit bois, elle aperçut, au bout d'une allée, dans l'endroit le plus reculé du jardin, une manière de cabinet[1] ouvert de tous côtés, où elle adressa ses pas. Comme elle en fut proche, elle vit un homme couché sur des bancs, qui paraissait enseveli dans une rêverie profonde, et elle reconnut que c'était M. de Nemours. Cette vue l'arrêta tout court. Mais ses gens qui la suivaient firent quelque bruit qui tira M. de Nemours de sa rêverie. Sans regarder qui avait causé le bruit qu'il avait entendu, il se leva de sa place pour éviter la compagnie qui venait vers lui et tourna dans une autre allée, en faisant une révérence fort basse qui l'empêcha même de voir ceux qu'il saluait.

S'il eût su ce qu'il évitait, avec quelle ardeur serait-il retourné sur ses pas ! Mais il continua à suivre l'allée, et Mme de Clèves le vit sortir par une porte de derrière où l'attendait son carrosse. Quel effet produisit cette vue d'un moment dans le cœur de Mme de Clèves ! Quelle passion endormie se ralluma dans son cœur, et avec quelle violence ! Elle s'alla asseoir dans le même endroit d'où venait de sortir M. de Nemours ; elle y de-

---

1. « Cabinet » : ici, simple lieu couvert dans un jardin.

meura comme accablée. Ce prince se présenta à son esprit, aimable au-dessus de tout ce qui était au monde,
l'aimant depuis longtemps avec une passion pleine de
respect et de fidélité, méprisant tout pour elle, respectant
même jusqu'à sa douleur, songeant à la voir sans songer
à en être vu, quittant la Cour, dont il faisait les délices,
pour aller regarder les murailles qui la renfermaient,
pour venir rêver dans des lieux où il ne pouvait prétendre de la rencontrer ; enfin un homme digne d'être aimé
par son seul attachement, et pour qui elle avait une inclination si violente qu'elle l'aurait aimé quand il ne l'aurait pas aimée ; mais, de plus, un homme d'une qualité
élevée et convenable à la sienne. Plus de devoir, plus
de vertu qui s'opposassent à ses sentiments [1] ; tous les
obstacles étaient levés, et il ne restait de leur état passé
que la passion de M. de Nemours pour elle et que celle
qu'elle avait pour lui.

Toutes ces idées furent nouvelles à cette princesse.
L'affliction de la mort de M. de Clèves l'avait assez occupée pour avoir empêché qu'elle n'y eût jeté les yeux.
La présence de M. de Nemours les amena en foule dans
son esprit ; mais, quand il en eut été pleinement rempli
et qu'elle se souvint aussi que ce même homme, qu'elle
regardait comme pouvant l'épouser, était celui qu'elle
avait aimé du vivant de son mari et qui était la cause de
sa mort ; que même, en mourant, il lui avait témoigné
de la crainte qu'elle ne l'épousât, son austère vertu était
si blessée de cette imagination qu'elle ne trouvait guère

1. Ni le « devoir », ni même la « vertu » ne seront, en effet, des
arguments décisifs pour justifier le refus final de Mme de Clèves.
Voir ci-dessous, p. 244 et 245.

moins de crime à épouser M. de Nemours qu'elle en avait trouvé à l'aimer pendant la vie de son mari. Elle s'abandonna à ces réflexions si contraires à son bonheur ; elle les fortifia encore de plusieurs raisons qui regardaient son repos et les maux qu'elle prévoyait en épousant ce prince. Enfin, après avoir demeuré deux heures dans le lieu où elle était, elle s'en revint chez elle, persuadée qu'elle devait fuir sa vue comme une chose entièrement opposée à son devoir.

Mais cette persuasion, qui était un effet de sa raison et de sa vertu, n'entraînait pas son cœur. Il demeurait attaché à M. de Nemours avec une violence qui la mettait dans un état digne de compassion et qui ne lui laissa plus de repos ; elle passa une des plus cruelles nuits qu'elle eût jamais passées. Le matin, son premier mouvement fut d'aller voir s'il n'y aurait personne à la fenêtre qui donnait chez elle ; elle y alla, elle y vit M. de Nemours. Cette vue la surprit, et elle se retira avec une promptitude qui fit juger à ce prince qu'il avait été reconnu. Il avait souvent désiré de l'être, depuis que sa passion lui avait fait trouver ces moyens de voir Mme de Clèves ; et, lorsqu'il n'espérait pas d'avoir ce plaisir, il allait rêver dans le même jardin où elle l'avait trouvé.

Lassé enfin d'un état si malheureux et si incertain, il résolut de tenter quelque voie[1] d'éclaircir sa destinée. Que veux-je attendre ? disait-il ; il y a longtemps que je sais que j'en suis aimé ; elle est libre, elle n'a plus de

---

1. « Voie », construit avec « de » et l'infinitif, s'emploie encore à l'époque classique au sens de : « manière de procéder pour atteindre un certain but ».

devoir à m'opposer. Pourquoi me réduire à la voir sans en être vu et sans lui parler ? Est-il possible que l'amour m'ait si absolument ôté la raison et la hardiesse et qu'il m'ait rendu si différent de ce que j'ai été dans les autres passions de ma vie ? J'ai dû respecter la douleur de Mme de Clèves ; mais je la respecte trop longtemps et je lui donne le loisir d'éteindre l'inclination qu'elle a pour moi.

Après ces réflexions, il songea aux moyens dont il devait se servir pour la voir. Il crut qu'il n'y avait plus rien qui l'obligeât à cacher sa passion au vidame de Chartres. Il résolut de lui en parler et de lui dire le dessein qu'il avait pour sa nièce.

Le Vidame était alors à Paris : tout le monde y était venu donner ordre [1] à son équipage et à ses habits, pour suivre le Roi qui devait conduire la reine d'Espagne. M. de Nemours alla donc chez le Vidame et lui fit un aveu sincère de tout ce qu'il lui avait caché jusqu'alors, à la réserve des sentiments de Mme de Clèves, dont il ne voulut pas paraître instruit.

Le Vidame reçut tout ce qu'il lui dit avec beaucoup de joie et l'assura que, sans savoir ses sentiments, il avait souvent pensé, depuis que Mme de Clèves était veuve, qu'elle était la seule personne digne de lui. M. de Nemours le pria de lui donner les moyens de lui parler et de savoir quelles étaient ses dispositions.

Le Vidame lui proposa de le mener chez elle ; mais M. de Nemours crut qu'elle en serait choquée, parce

1. « Donner ordre à » : disposer tout en vue de quelque chose (ici, ce qui est nécessaire au voyage).

qu'elle ne voyait encore personne. Ils trouvèrent qu'il
fallait que M. le Vidame la priât de venir chez lui, sur
quelque prétexte, et que M. de Nemours y vînt par un
escalier dérobé, afin de n'être vu de personne. Cela
s'exécuta comme ils l'avaient résolu : Mme de Clèves
vint, le Vidame l'alla recevoir et la conduisit dans un
grand cabinet, au bout de son appartement. Quelque
temps après, M. de Nemours entra, comme si le hasard
l'eût conduit. Mme de Clèves fut extrêmement surprise
de le voir ; elle rougit, et essaya de cacher sa rougeur.
Le Vidame parla d'abord de choses différentes [1] et sortit,
supposant qu'il avait quelque ordre à donner. Il dit à
Mme de Clèves qu'il la priait de faire les honneurs de
chez lui et qu'il allait rentrer dans un moment.

L'on ne peut exprimer ce que sentirent M. de Nemours et Mme de Clèves de se trouver seuls et en état
de se parler pour la première fois. Ils demeurèrent quelque temps sans rien dire ; enfin, M. de Nemours, rompant le silence :

— Pardonnerez-vous à M. de Chartres, Madame, lui
dit-il, de m'avoir donné l'occasion de vous voir et de
vous entretenir, que vous m'avez toujours si cruellement
ôtée ?

— Je ne lui dois pas pardonner, répondit-elle, d'avoir
oublié l'état où je suis et à quoi il expose ma réputation.

En prononçant ces paroles, elle voulut s'en aller ; et
M. de Nemours, la retenant :

1. Jean Mesnard, ne trouvant aucun sens à « différentes », propose de le remplacer par « indifférentes ». Cette correction, à mon
avis, ne s'impose pas absolument. Dans l'esprit de l'auteur, le mot
peut vouloir dire : différentes du véritable objet de la rencontre.

— Ne craignez rien, Madame, répliqua-t-il, personne ne sait que je suis ici et aucun hasard[1] n'est à craindre. Écoutez-moi, Madame, écoutez-moi ; si ce n'est par bonté, que ce soit du moins pour l'amour de vous-même, et pour vous délivrer des extravagances où m'emporterait infailliblement une passion dont je ne suis plus le maître.

Mme de Clèves céda pour la dernière fois au penchant qu'elle avait pour M. de Nemours et, le regardant avec des yeux pleins de douceur et de charmes :

— Mais qu'espérez-vous, lui dit-elle, de la complaisance que vous me demandez ? Vous vous repentirez, peut-être, de l'avoir obtenue et je me repentirai infailliblement de vous l'avoir accordée. Vous méritez une destinée plus heureuse que celle que vous avez eue jusques ici et que celle que vous pouvez trouver à l'avenir, à moins que vous ne la cherchiez ailleurs !

— Moi, Madame, lui dit-il, chercher du bonheur ailleurs ! Et y en a-t-il d'autre que d'être aimé de vous ? Quoique je ne vous aie jamais parlé, je ne saurais croire, Madame, que vous ignoriez ma passion et que vous ne la connaissiez pour la plus véritable et la plus violente qui sera jamais. À quelle épreuve a-t-elle été par des choses qui vous sont inconnues ? Et à quelle épreuve l'avez-vous mise par vos rigueurs ?

— Puisque vous voulez que je vous parle et que je m'y résous, répondit Mme de Clèves en s'asseyant, je le ferai avec une sincérité que vous trouverez malaisément dans les personnes de mon sexe. Je ne vous dirai

1. « Hasard » : ici encore : risque, danger.

point que je n'ai pas vu l'attachement que vous avez eu pour moi ; peut-être ne me croiriez-vous pas quand je vous le dirais. Je vous avoue donc, non seulement que je l'ai vu, mais que je l'ai vu tel que vous pouvez souhaiter qu'il m'ait paru.

— Et si vous l'avez vu, Madame, interrompit-il, est-il possible que vous n'en ayez point été touchée ? Et oserais-je vous demander s'il n'a fait aucune impression dans votre cœur ?

— Vous en avez dû juger par ma conduite, lui répliqua-t-elle ; mais je voudrais bien savoir ce que vous en avez pensé.

— Il faudrait que je fusse dans un état plus heureux pour vous l'oser dire, répondit-il ; et ma destinée a trop peu de rapport à ce que je vous dirais. Tout ce que je puis vous apprendre, Madame, c'est que j'ai souhaité ardemment que vous n'eussiez pas avoué à M. de Clèves ce que vous me cachiez et que vous lui eussiez caché ce que vous m'eussiez laissé voir.

— Comment avez-vous pu découvrir, reprit-elle en rougissant, que j'aie avoué quelque chose à M. de Clèves ?

— Je l'ai su par vous-même, Madame, répondit-il ; mais, pour me pardonner la hardiesse que j'ai eue de vous écouter, souvenez-vous si j'ai abusé de ce que j'ai entendu, si mes espérances en ont augmenté et si j'ai eu plus de hardiesse à vous parler ?

Il commença à lui conter comme il avait entendu sa conversation avec M. de Clèves ; mais elle l'interrompit avant qu'il eût achevé.

— Ne m'en dites pas davantage, lui dit-elle ; je vois

présentement par où vous avez été si bien instruit. Vous ne me le parûtes déjà que trop chez Mme la Dauphine, qui avait su cette aventure par ceux à qui vous l'aviez confiée.

M. de Nemours lui apprit alors de quelle sorte la chose était arrivée.

— Ne vous excusez point, reprit-elle ; il y a longtemps que je vous ai pardonné sans que vous m'ayez dit de raison. Mais puisque vous avez appris par moi-même ce que j'avais eu dessein de vous cacher toute ma vie, je vous avoue que vous m'avez inspiré des sentiments qui m'étaient inconnus devant que de vous avoir vu, et dont j'avais même si peu d'idée qu'ils me donnèrent d'abord une surprise qui augmentait encore le trouble qui les suit toujours. Je vous fais cet aveu [1] avec moins de honte, parce que je le fais dans un temps où je le puis faire sans crime et que vous avez vu que ma conduite n'a pas été réglée par mes sentiments.

— Croyez-vous, Madame, lui dit M. de Nemours, en se jetant à ses genoux, que je n'expire pas à vos pieds de joie et de transport ?

— Je ne vous apprends, lui répondit-elle, en souriant, que ce que vous ne saviez déjà que trop.

— Ah ! Madame, répliqua-t-il, quelle différence de le savoir par un effet du hasard ou de l'apprendre par vous-même, et de voir que vous voulez bien que je le sache !

— Il est vrai, lui dit-elle, que je veux bien que vous

1. Deuxième « aveu », symétrique du premier et dicté, comme lui, par la « sincérité ».

le sachiez et que je trouve de la douceur à vous le dire. Je ne sais même si je ne vous le dis point plus pour l'amour de moi que pour l'amour de vous. Car enfin cet aveu n'aura point de suite et je suivrai les règles austères que mon devoir m'impose.

— Vous n'y songez pas, Madame, répondit M. de Nemours ; il n'y a plus de devoir qui vous lie, vous êtes en liberté ; et si j'osais, je vous dirais même qu'il dépend de vous de faire en sorte que votre devoir vous oblige un jour à conserver les sentiments que vous avez pour moi.

— Mon devoir, répliqua-t-elle, me défend de penser jamais à personne, et moins à vous qu'à qui que ce soit au monde, par des raisons qui vous sont inconnues.

— Elles ne me le sont peut-être pas, Madame, reprit-il ; mais ce ne sont point de véritables raisons. Je crois savoir que M. de Clèves m'a cru plus heureux que je n'étais et qu'il s'est imaginé que vous aviez approuvé des extravagances que la passion m'a fait entreprendre sans votre aveu.

— Ne parlons point de cette aventure, lui dit-elle, je n'en saurais soutenir la pensée ; elle me fait honte et elle m'est aussi trop douloureuse par les suites qu'elle a eues. Il n'est que trop véritable que vous êtes cause de la mort de M. de Clèves ; les soupçons que lui a donnés votre conduite inconsidérée lui ont coûté la vie, comme si vous la lui aviez ôtée de vos propres mains. Voyez ce que je devrais faire, si vous en étiez venus ensemble à ces extrémités, et que le même malheur en fût arrivé. Je sais bien que ce n'est pas la même chose à l'égard du monde ; mais au mien il n'y a aucune différence, puis-

que je sais que c'est par vous qu'il est mort et que c'est
à cause de moi.

— Ah ! Madame, lui dit M. de Nemours, quel
fantôme de devoir opposez-vous à mon bonheur ?
Quoi ! Madame, une pensée vaine et sans fondement
vous empêchera de rendre heureux un homme que vous
ne haïssez pas ? Quoi ! j'aurais pu concevoir l'espérance
de passer ma vie avec vous ; ma destinée m'aurait conduit à aimer la plus estimable personne du monde ; j'aurais vu en elle tout ce qui peut faire une adorable maîtresse ; elle ne m'aurait pas haï et je n'aurais trouvé dans
sa conduite que tout ce qui peut être à désirer dans une
femme ? Car enfin, Madame, vous êtes peut-être la seule
personne en qui ces deux choses se soient jamais trou-
vées au degré qu'elles sont en vous. Tous ceux qui
épousent des maîtresses dont ils sont aimés, tremblent
en les épousant, et regardent avec crainte, par rapport
aux autres, la conduite qu'elles ont eue avec eux ; mais
en vous, Madame, rien n'est à craindre, et on ne trouve
que des sujets d'admiration. N'aurai-je envisagé, dis-je,
une si grande félicité que pour vous y voir apporter
vous-même des obstacles ? Ah ! Madame, vous oubliez
que vous m'avez distingué du reste des hommes, ou plutôt vous ne m'en avez jamais distingué : vous vous êtes
trompée et je me suis flatté.

— Vous ne vous êtes point flatté, lui répondit-elle ;
les raisons de mon devoir ne me paraîtraient peut-être
pas si fortes sans cette distinction dont vous vous doutez, et c'est elle qui me fait envisager des malheurs à
m'attacher à vous.

— Je n'ai rien à répondre, Madame, reprit-il, quand

vous me faites voir que vous craignez des malheurs ; mais je vous avoue qu'après tout ce que vous avez bien voulu me dire, je ne m'attendais pas à trouver une si cruelle raison.

— Elle est si peu offensante pour vous, reprit Mme de Clèves, que j'ai même beaucoup de peine à vous l'apprendre.

— Hélas ! Madame, répliqua-t-il, que pouvez-vous craindre qui me flatte trop, après ce que vous venez de me dire ?

— Je veux vous parler encore, avec la même sincérité que j'ai déjà commencé, reprit-elle, et je vais passer par-dessus toute la retenue et toutes les délicatesses que je devrais avoir dans une première conversation ; mais je vous conjure de m'écouter sans m'interrompre.

Je crois devoir à votre attachement la faible récompense de ne vous cacher aucun de mes sentiments et de vous les laisser voir tels qu'ils sont. Ce sera apparemment la seule fois de ma vie que je me donnerai la liberté de vous les faire paraître ; néanmoins je ne saurais vous avouer, sans honte, que la certitude de n'être plus aimée de vous, comme je le suis, me paraît un si horrible malheur que, quand je n'aurais point des raisons de devoir insurmontables, je doute si je pourrais me résoudre à m'exposer à ce malheur. Je sais que vous êtes libre, que je le suis, et que les choses sont d'une sorte que le public n'aurait peut-être pas sujet de vous blâmer, ni moi non plus, quand nous nous engagerions ensemble pour jamais. Mais les hommes conservent-ils de la passion dans ces engagements éternels ? Dois-je espérer un miracle en ma faveur et puis-je me mettre en état de

voir certainement finir cette passion dont je ferais toute
ma félicité ? M. de Clèves était peut-être l'unique
homme du monde capable de conserver de l'amour dans
le mariage. Ma destinée n'a pas voulu que j'aie pu profiter de ce bonheur ; peut-être aussi que sa passion n'avait
subsisté que parce qu'il n'en aurait pas trouvé en moi.
Mais je n'aurais pas le même moyen de conserver la
vôtre : je crois même que les obstacles[1] ont fait votre
constance. Vous en avez assez trouvé pour vous animer
à vaincre et mes actions involontaires, ou les choses que
le hasard vous a apprises, vous ont donné assez d'espérance pour ne vous pas rebuter.

— Ah ! Madame, reprit M. de Nemours, je ne saurais
garder le silence que vous m'imposez ; vous me faites
trop d'injustice et vous me faites trop voir combien vous
êtes éloignée d'être prévenue en ma faveur.

— J'avoue, répondit-elle, que les passions peuvent
me conduire ; mais elles ne sauraient m'aveugler. Rien
ne me peut empêcher de connaître que vous êtes né avec
toutes les dispositions pour la galanterie et toutes les
qualités qui sont propres à y donner des succès heureux.
Vous avez déjà eu plusieurs passions, vous en auriez encore ; je ne ferais plus votre bonheur ; je vous verrais
pour une autre comme vous auriez été pour moi. J'en
aurais une douleur mortelle et je ne serais pas même as-

---

1. Dans son célèbre essai, *L'Amour et l'Occident*, Denis de
Rougemont souligne le rôle décisif que joue l'« obstacle » dans la
naissance et l'entretien de la passion. Il est curieux que, parmi les
ouvrages littéraires qui illustrent sa thèse, il ne cite pas *La Princesse de Clèves* : tout le roman pourrait s'interpréter à partir du
« mythe de Tristan ».

surée de n'avoir point le malheur de la jalousie. Je vous en ai trop dit pour vous cacher que vous me l'avez fait connaître et que je souffris de si cruelles peines le soir que la Reine me donna cette lettre de Mme de Thémines, que l'on disait qui s'adressait à vous, qu'il m'en est demeuré une idée qui me fait croire que c'est le plus grand de tous les maux.

Par vanité ou par goût, toutes les femmes souhaitent de vous attacher. Il y en a peu à qui vous ne plaisiez ; mon expérience me ferait croire qu'il n'y en a point à qui vous ne puissiez plaire. Je vous croirais toujours amoureux et aimé et je ne me tromperais pas souvent. Dans cet état néanmoins, je n'aurais d'autre parti à prendre que celui de la souffrance ; je ne sais même si j'oserais me plaindre. On fait des reproches à un amant ; mais en fait-on à un mari, quand on n'a qu'à lui reprocher de n'avoir plus d'amour ? Quand je pourrais m'accoutumer à cette sorte de malheur, pourrais-je m'accoutumer à celui de croire voir toujours M. de Clèves vous accuser de sa mort, me reprocher de vous avoir aimé, de vous avoir épousé et me faire sentir la différence de son attachement au vôtre ? Il est impossible, continua-t-elle, de passer par-dessus des raisons si fortes : il faut que je demeure dans l'état où je suis et dans les résolutions que j'ai prises de n'en sortir jamais.

— Hé ! croyez-vous le pouvoir, Madame ? s'écria M. de Nemours. Pensez-vous que vos résolutions tiennent contre un homme qui vous adore et qui est assez heureux pour vous plaire ? Il est plus difficile que vous ne pensez, Madame, de résister à ce qui nous plaît et à ce qui nous aime. Vous l'avez fait par une vertu austère qui n'a presque point d'exemple ; mais cette vertu ne s'oppose plus à vos sentiments et j'espère que vous les suivrez malgré vous.

— Je sais bien qu'il n'y a rien de plus difficile que ce que j'entreprends, répliqua Mme de Clèves ; je me défie de mes forces au milieu de mes raisons. Ce que je crois devoir à la mémoire de M. de Clèves serait faible s'il n'était soutenu par l'intérêt de mon repos[1] ; et les raisons de mon repos ont besoin d'être soutenues de celles de mon devoir. Mais, quoique je me défie de moi-même, je crois que je ne vaincrai jamais mes scrupules et je n'espère pas aussi de surmonter l'inclination que j'ai pour vous. Elle me rendra malheureuse et je me priverai de votre vue, quelque violence qu'il m'en coûte. Je vous conjure, par tout le pouvoir que j'ai sur vous, de ne chercher aucune occasion de me voir. Je suis dans un état qui me fait des crimes de tout ce qui pourrait être permis dans un autre temps, et la seule bienséance interdit tout commerce entre nous.

M. de Nemours se jeta à ses pieds, et s'abandonna à tous les divers mouvements dont il était agité. Il lui fit voir, et par ses paroles, et par ses pleurs, la plus vive et la plus tendre passion dont un cœur ait jamais été touché. Celui de Mme de Clèves n'était pas insensible et, regardant ce prince avec des yeux un peu grossis par les larmes :

1. La phrase décisive qui explique le comportement de Mme de Clèves. Le mot « repos » revient souvent dans le roman : il ne signifie guère plus, en général, que « tranquillité ». Ici, il prend un sens beaucoup plus fort et renvoie à l'opposition pascalienne entre l'« agitation » et le « repos », telle qu'elle apparaît dans le chapitre des *Pensées* sur le « divertissement ». Voir, ci-dessus, ma préface, p. 21 et 26-27.

— Pourquoi faut-il, s'écria-t-elle, que je vous puisse accuser de la mort de M. de Clèves ? Que n'ai-je commencé à vous connaître depuis que je suis libre, ou pourquoi ne vous ai-je pas connu devant que d'être engagée ? Pourquoi la destinée nous sépare-t-elle par un obstacle si invincible ?

— Il n'y a point d'obstacle, Madame, reprit M. de Nemours. Vous seule vous opposez à mon bonheur ; vous seule vous imposez une loi que la vertu et la raison ne vous sauraient imposer.

— Il est vrai, répliqua-t-elle, que je sacrifie beaucoup à un devoir qui ne subsiste que dans mon imagination[1]. Attendez ce que le temps pourra faire. M. de Clèves ne fait encore que d'expirer, et cet objet funeste est trop proche pour me laisser des vues claires et distinctes. Ayez cependant le plaisir de vous être fait aimer d'une personne qui n'aurait rien aimé si elle ne vous avait jamais vu ; croyez que les sentiments que j'ai pour vous seront éternels et qu'ils subsisteront également, quoi que je fasse. Adieu, lui dit-elle ; voici une conversation qui me fait honte : rendez-en compte à M. le Vidame ; j'y consens, et je vous en prie.

Elle sortit en disant ces paroles, sans que M. de Nemours pût la retenir. Elle trouva M. le Vidame dans la chambre la plus proche. Il la vit si troublée qu'il n'osa lui parler et il la remit en son carrosse sans lui rien dire. Il revint trouver M. de Nemours, qui était si plein de

1. Les pages qui suivent montrent bien que l'obstacle créé par ce « devoir imaginaire » n'est pas insurmontable et que le « temps » pourrait arranger les choses s'il n'y avait la hantise du « repos ».

joie, de tristesse, d'étonnement et d'admiration, enfin, de tous les sentiments que peut donner une passion pleine de crainte et d'espérance, qu'il n'avait pas l'usage de la raison. Le Vidame fut longtemps à obtenir qu'il lui rendît compte de sa conversation. Il le fit enfin ; et M. de Chartres, sans être amoureux, n'eut pas moins d'admiration pour la vertu, l'esprit et le mérite de Mme de Clèves que M. de Nemours en avait lui-même. Ils examinèrent ce que ce prince devait espérer de sa destinée ; et, quelques craintes que son amour lui pût donner, il demeura d'accord avec M. le Vidame qu'il était impossible que Mme de Clèves demeurât dans les résolutions où elle était. Ils convinrent, néanmoins, qu'il fallait suivre ses ordres, de crainte que, si le public s'apercevait de l'attachement qu'il avait pour elle, elle ne fît des déclarations et ne prît des engagements vers le monde, qu'elle soutiendrait dans la suite, par la peur qu'on ne crût qu'elle l'eût aimé du vivant de son mari.

M. de Nemours se détermina à suivre le Roi. C'était un voyage dont il ne pouvait aussi bien se dispenser, et il résolut à s'en aller, sans tenter même de revoir Mme de Clèves du lieu où il l'avait vue quelquefois. Il pria M. le Vidame de lui parler. Que ne lui dit-il point pour lui dire ? Quel nombre infini de raisons pour la persuader de vaincre ses scrupules ! Enfin, une partie de la nuit était passée devant que M. de Nemours songeât à le laisser en repos.

Mme de Clèves n'était pas en état d'en trouver ; ce lui était une chose si nouvelle d'être sortie de cette contrainte qu'elle s'était imposée, d'avoir souffert, pour la première fois de sa vie, qu'on lui dît qu'on était amoureux d'elle, et d'avoir dit elle-même qu'elle aimait, qu'elle ne se connaissait plus. Elle fut étonnée de ce qu'elle avait fait ; elle s'en repentit ; elle en eut de la joie : tous ses sentiments étaient pleins de trouble et de passion. Elle examina encore les raisons de son devoir qui s'opposaient à son bonheur ; elle sentit de la douleur de les trouver si fortes et elle se repentit de les avoir si bien montrées à M. de Nemours. Quoique la pensée de l'épouser lui fût venue dans l'esprit sitôt qu'elle l'avait revu dans ce jardin, elle ne lui avait pas fait la même impression que venait de faire la conversation qu'elle avait eue avec lui ; et il y avait des moments où elle avait de la peine à comprendre qu'elle pût être malheureuse en l'épousant. Elle eût bien voulu se pouvoir dire qu'elle était mal fondée, et dans ses scrupules du passé, et dans ses craintes de l'avenir. La raison et son devoir lui montraient, dans d'autres moments, des choses tout opposées, qui l'emportaient rapidement à la résolution de ne se point remarier et de ne voir jamais M. de Nemours. Mais c'était une résolution bien violente à établir dans un cœur aussi touché que le sien et aussi nouvellement abandonné aux charmes de l'amour. Enfin, pour se donner quelque calme, elle pensa qu'il n'était point encore nécessaire qu'elle se fît la violence de prendre des résolutions ; la bienséance lui donnait un temps considérable à se déterminer ; mais elle résolut de demeurer ferme à n'avoir aucun commerce avec M. de Nemours. Le Vidame la vint voir et servit ce prince avec tout l'esprit et l'application imaginables ; il ne la put faire changer sur sa conduite, ni sur celle qu'elle avait imposée à M. de Nemours. Elle lui dit que son dessein était de demeurer dans l'état où elle se trouvait ; qu'elle connaissait que ce dessein était difficile à exécuter ; mais qu'elle espérait d'en avoir la force. Elle lui fit si bien voir à quel point elle était touchée de l'opinion que M. de Nemours avait causé la mort à son mari, et combien elle était persuadée qu'elle ferait une action contre son devoir en l'épousant, que le Vidame craignit qu'il ne fût malaisé de lui ôter cette impression. Il ne dit pas à ce prince ce qu'il pensait et, en lui rendant compte de sa conversation, il lui laissa toute l'espérance que la raison doit donner à un homme qui est aimé.

Ils partirent le lendemain et allèrent joindre le Roi. M. le Vidame écrivit à Mme de Clèves, à la prière de M. de Nemours, pour lui parler de ce prince ; et, dans une seconde lettre qui suivit bientôt la première, M. de Nemours y mit quelques lignes de sa main. Mais Mme de Clèves, qui ne voulait pas sortir des règles qu'elle s'était imposées et qui craignait les accidents qui peuvent arriver par les lettres, manda au Vidame qu'elle ne recevrait plus les siennes, s'il continuait à lui parler de M. de Nemours ; et elle lui manda si fortement que ce prince le pria même de ne le plus nommer.

La Cour alla conduire la reine d'Espagne jusqu'en Poitou[1]. Pendant cette absence, Mme de Clèves demeura à elle-même et, à mesure qu'elle était éloignée de M. de Nemours et de tout ce qu'il en pouvait faire souvenir, elle rappelait la mémoire de M. de Clèves, qu'elle se faisait un honneur de conserver. Les raisons qu'elle avait de ne point épouser M. de Nemours lui parais-

1. Le départ de la reine d'Espagne se situe en novembre 1559.

saient fortes du côté de son devoir et insurmontables du
côté de son repos. La fin de l'amour de ce prince, et les
maux de la jalousie qu'elle croyait infaillibles dans un
mariage, lui montraient un malheur certain où elle s'allait jeter ; mais elle voyait aussi qu'elle entreprenait une
chose impossible, que de résister en présence au plus
aimable homme du monde qu'elle aimait et dont elle
était aimée, et de lui résister sur une chose qui ne cho-
quait ni la vertu, ni la bienséance. Elle jugea que l'absence seule et l'éloignement pouvaient lui donner quelque force ; elle trouva qu'elle en avait besoin, non
seulement pour soutenir la résolution de ne se pas engager, mais même pour se défendre de voir M. de Nemours ; et elle résolut de faire un assez long voyage,
pour passer tout le temps que la bienséance l'obligeait à
vivre dans la retraite. De grandes terres qu'elle avait
vers les Pyrénées lui parurent le lieu le plus propre
qu'elle pût choisir. Elle partit peu de jours avant que la
Cour revînt ; et, en partant, elle écrivit à M. le Vidame,
pour le conjurer que l'on ne songeât point à avoir de ses
nouvelles, ni à lui écrire.

M. de Nemours fut affligé de ce voyage, comme un
autre l'aurait été de la mort de sa maîtresse. La pensée
d'être privé pour longtemps de la vue de Mme de
Clèves lui était une douleur sensible, et surtout dans un
temps où il avait senti le plaisir de la voir et de la voir
touchée de sa passion. Cependant il ne pouvait faire autre chose que s'affliger, mais son affliction augmenta
considérablement. Mme de Clèves, dont l'esprit avait
été si agité, tomba dans une maladie violente sitôt
qu'elle fut arrivée chez elle ; cette nouvelle vint à la

Cour. M. de Nemours était inconsolable ; sa douleur allait au désespoir et à l'extravagance. Le Vidame eut beaucoup de peine à l'empêcher de faire voir sa passion au public ; il en eut beaucoup aussi à le retenir et à lui ôter le dessein d'aller lui-même apprendre de ses nouvelles. La parenté et l'amitié de M. le Vidame fut un prétexte à y envoyer plusieurs courriers ; on sut enfin qu'elle était hors de cet extrême péril où elle avait été ; mais elle demeura dans une maladie de langueur, qui ne laissait guère d'espérance de sa vie.

Cette vue si longue et si prochaine de la mort fit paraître à Mme de Clèves les choses de cette vie de cet œil si différent de celui dont[1] on les voit dans la santé. La nécessité de mourir, dont elle se voyait si proche, l'accoutuma à se détacher de toutes choses et la longueur de sa maladie lui en fit une habitude. Lorsqu'elle revint de cet état, elle trouva néanmoins que M. de Nemours n'était pas effacé de son cœur ; mais elle appela à son secours, pour se défendre contre lui, toutes les raisons qu'elle croyait avoir pour ne l'épouser jamais. Il se passa un assez grand combat en elle-même. Enfin, elle surmonta les restes de cette passion qui était affaiblie par les sentiments que sa maladie lui avait donnés. Les pensées de la mort lui avaient rapproché la mémoire de M. de Clèves. Ce souvenir, qui s'accordait à son devoir, s'imprima fortement dans son cœur. Les passions et les engagements du monde lui parurent tels qu'ils paraissent aux personnes qui ont des vues plus

----

1. L'édition originale portait : « de cet œil si différent dont ». La correction proposée par Charnes (qui suit ici Valincour) est grammaticalement justifiée.

grandes et plus éloignées. Sa santé, qui demeura considérablement affaiblie, lui aida à conserver ses sentiments ; mais comme elle connaissait ce que peuvent les occasions sur les résolutions les plus sages, elle ne voulut pas s'exposer à détruire les siennes, ni revenir dans les lieux où était ce qu'elle avait aimé. Elle se retira, sur le prétexte de changer d'air, dans une maison religieuse, sans faire paraître un dessein arrêté de renoncer à la Cour.

À la première nouvelle qu'en eut M. de Nemours, il sentit le poids de cette retraite, et il en vit l'importance. Il crut, dans ce moment, qu'il n'avait plus rien à espérer ; la perte de ses espérances ne l'empêcha pas de mettre tout en usage pour faire revenir Mme de Clèves. Il fit écrire la Reine, il fit écrire le Vidame, il l'y fit aller ; mais tout fut inutile. Le Vidame la vit : elle ne lui dit point qu'elle eût pris de résolution. Il jugea néanmoins qu'elle ne reviendrait jamais. Enfin M. de Nemours y alla lui-même, sur le prétexte d'aller à des bains. Elle fut extrêmement troublée et surprise d'apprendre sa venue. Elle lui fit dire, par une personne de mérite qu'elle aimait et qu'elle avait alors auprès d'elle, qu'elle le priait de ne pas trouver étrange si elle ne s'exposait point au péril de le voir et de détruire, par sa présence, des sentiments qu'elle devait conserver ; qu'elle voulait bien qu'il sût, qu'ayant trouvé que son devoir et son repos s'opposaient au penchant qu'elle avait d'être à lui, les autres choses du monde lui avaient paru si indifférentes qu'elle y avait renoncé pour jamais ; qu'elle ne pensait plus qu'à celles de l'autre vie et qu'il ne lui restait aucun sentiment que le désir de le voir dans les mêmes dispositions où elle était.

M. de Nemours pensa expirer de douleur en présence de celle qui lui parlait. Il la pria vingt fois de retourner à Mme de Clèves, afin de faire en sorte qu'il la vît ; mais cette personne lui dit que Mme de Clèves lui avait non seulement défendu de lui aller redire aucune chose de sa part, mais même de lui rendre compte de leur conversation. Il fallut enfin que ce prince repartît, aussi accablé de douleur que le pouvait être un homme qui perdait toutes sortes d'espérances de revoir jamais une personne qu'il aimait d'une passion la plus violente, la plus naturelle et la mieux fondée qui ait jamais été. Néanmoins il ne se rebuta point encore, et il fit tout ce qu'il put imaginer de capable de la faire changer de dessein. Enfin, des années entières s'étant passées, le temps et l'absence ralentirent sa douleur et éteignirent sa passion[1]. Mme de Clèves vécut d'une sorte qui ne laissa pas d'apparence qu'elle pût jamais revenir. Elle passait une partie de l'année dans cette maison religieuse et l'autre chez elle ; mais dans une retraite et dans les occupations plus saintes que celles des couvents les plus austères ; et sa vie, qui fut assez courte, laissa des exemples de vertu inimitables.

1. Le vrai duc de Nemours épousera en 1566 Anne d'Este, veuve du duc de Guise.

DOSSIER

VIE DE MADAME DE LAFAYETTE

1634. Naissance de Marie-Madeleine Pioche de La Vergne, fille de Marc Pioche, écuyer, sieur de La Vergne, et d'Isabelle Pena.

1643. Mort de Louis XIII.

1649. Mort de Marc Pioche.

1650. La veuve de Marc Pioche se remarie avec le chevalier Renaud de Sévigné, oncle de la célèbre marquise. Marie-Madeleine est nommée demoiselle d'honneur de la Reine et se lie avec Ménage, un érudit qui va lui servir de précepteur.

1652. Renaud de Sévigné, compromis dans la Fronde, est obligé de s'exiler en Anjou avec sa famille.

1654. Marie-Madeleine, qui vient souvent à Paris, fait la connaissance, au couvent de Chaillot, de deux jeunes princesses, Henriette d'Angleterre et Jeanne-Baptiste de Savoie Nemours.

1655. Mlle de La Vergne épouse le comte François de Lafayette, de dix-huit ans son aîné, et s'installe avec lui dans le Bourbonnais, au château d'Espinasse. Elle lit *Clélie*, le roman de Mlle de Scudéry, que lui a envoyé Ménage.

1656. Mort d'Isabelle de Sévigné. Mme de Lafayette fréquente l'hôtel de Nevers, foyer janséniste où elle rencontre les Arnauld et le duc de La Rochefoucauld. Elle lit les *Provinciales*.

1658. Naissance du premier fils, Louis, qui deviendra abbé.

1659. Naissance d'un second fils, Armand, qui embrassera la carrière militaire. Ménage présente à Mme de Lafayette Jean Regnault de Segrais et Pierre-Daniel Huet, deux amis des lettres, qui l'encouragent à écrire. Pour le recueil des *Divers Portraits* de Mlle de Montpensier, elle compose, à leur demande, un « portrait » de Mme de Sévigné, qu'elle signe curieusement : « par Madame la comtesse de Lafayette sous le nom d'un inconnu ».

1661. Mme de Lafayette vit désormais à Paris, tandis que son mari reste dans sa province. Louis XIV prend le pouvoir. Henriette d'Angleterre épouse Monsieur, frère du Roi. Mme de Lafayette fait partie du cercle de ses intimes.

1662. Conseillée par Ménage, elle écrit, sans la signer, *La Princesse de Montpensier*, une nouvelle qui est accueillie avec beaucoup de faveur.

1664. M. de La Rochefoucauld publie ses *Maximes*, qui effraient Mme de Lafayette par leur cynisme. Il devient pourtant, dans les années qui suivent, son plus proche ami.

1665. À la demande de Madame, Mme de Lafayette commence à écrire son *Histoire d'Henriette d'Angleterre*.

1669. Aidée par La Rochefoucauld et Segrais, elle écrit *Zaïde*, roman espagnol en deux volumes, qui paraîtront avec en préface le *Traité de l'origine des romans* de Huet.

1670. Mort de Madame. Publication des *Pensées* de Pascal : « C'est un méchant signe pour ceux qui ne goûteront pas ce livre », dit Mme de Lafayette.

1672. Mme de Lafayette commence à travailler à *La Princesse de Clèves*, en compagnie de Segrais et de La Rochefoucauld.

1675. Segrais se retire en Normandie. Mme de Lafayette devient l'agent diplomatique de la duchesse de Savoie à Paris. Publication des *Désordres de l'amour*, de Mme de Villedieu.

1676. Mort de Renaud de Sévigné.

1678. Publication de *La Princesse de Clèves*. Enquête du *Mercure galant* sur « l'aveu ». Publication des *Lettres* de Valincour.

1679. Publication des *Conversations* de l'abbé de Charnes.

1680. Mort de La Rochefoucauld.

1683. Mort de M. de Lafayette.

1689. Mme de Lafayette marie son fils Armand. Elle écrit ses *Mémoires de la cour de France pour les années 1688 et 1689*.

1693. Mort de Mme de Lafayette.

NOTICE

I. L'ŒUVRE

Le texte

La haute position que Mme de Lafayette occupait dans le monde ne lui permettant pas de se comporter comme un « vrai auteur de profession », il n'existe pas de version de référence sûre, je veux dire authentifiée par elle, de *La Princesse de Clèves*. On considère généralement comme telles, outre l'édition originale parue chez Barbin en quatre volumes en 1678, les deux éditions ultérieures de 1689 et 1704. Elles comportent entre elles peu de variantes. Mais une vingtaine de corrections manuscrites ont été portées par l'éditeur lui-même sur divers exemplaires de l'édition originale.

Les éditeurs modernes comme Albert Cazes (1924) et Émile Magne (1939 et 1946) ont tenu plus ou moins compte de ces corrections dans leur travail. Le dernier en date, Jean Mesnard, en a fait un relevé très complet. L'édition qu'il a procurée pour l'Imprimerie nationale (1980) et qu'il a reprise dans la collection GF-Flammarion (1996) prend pour base le texte de l'édition originale. Elle y inclut toutes les corrections en question, corrige aussi quelques coquilles évidentes et propose deux ou trois retouches personnelles.

Le travail de Jean Mesnard est incontestablement plus minutieux que celui de ses prédécesseurs ; mais, si l'on pose en principe que Barbin a revu lui-même sa propre édition, avec l'accord de Mme de Lafayette — ce qui est probable, mais pas certain — a-t-on le droit d'intervenir encore après lui ? Et, à l'inverse, pourquoi rejeter, sous prétexte qu'elles ne s'imposent pas absolument, quelques corrections supplémentaires suggérées par l'abbé de Charnes, quand on sait que ses *Conversations sur la critique de « La Princesse de Clèves »* ont été inspirées directement par l'auteur du livre[1] ?

Toute décision en la matière comporte une part de subjectivité. Le texte que je propose n'échappe pas à la règle. Il se situe entre la version Magne, qui est généralement retenue pour les éditions courantes et que j'avais moi-même adoptée précédemment, et la version Mesnard. Au demeurant, s'agissant neuf fois sur dix de coquilles ou de différences mineures, l'intérêt du débat me paraît assez restreint.

L'intrigue

Le sujet de *La Princesse de Clèves* peut se résumer en une phrase : M. de Clèves aime sa femme, qui aime le duc de Nemours et qui est aimée de lui. Nous sommes à la cour du roi Henri II, où « la magnificence et la galanterie » occupent à plein temps une société de « princes » et de « seigneurs » oisifs. Mlle de Chartres y fait son entrée à seize ans, sous la conduite de sa mère qui cherche pour elle un bon parti. Le prince de Clèves rencontre par hasard la jeune fille chez un bijoutier. Mlle de Chartres est raisonnable et a le cœur « très noble ». Elle accepte donc d'épouser Clèves, bien qu'elle ne ressente pour lui aucune inclination, seulement de l'estime. Peu après son mariage, à l'occasion d'un bal, elle fait la connaissance du duc de Nemours. Coup de foudre réciproque. Renonçant à ses habitudes volages, Nemours, sans jamais laisser paraître ses sentiments en public, commence à faire à la princesse une cour aussi respectueuse qu'ardente.

1. Voir ci-dessous, p. 268.

Mme de Chartres, qui se doute de quelque chose et qui a déjà mis sa fille en garde contre les dangers de l'amour, lui tient un long discours pour lui rappeler ses devoirs de femme mariée. Elle meurt ensuite, laissant Mme de Clèves seule avec sa passion secrète et un mari qui, lui non plus, ne se doute de rien et déplore seulement de ne pas être aimé par sa femme comme il le souhaiterait. La princesse fait tout ce qu'elle peut pour éviter la vue de son amant ; mais son rang ne lui permet pas de se tenir longtemps à l'écart de la Cour. Peu à peu, à travers divers incidents, à la faveur de propos entendus, d'histoires racontées, elle découvre à la fois la ferveur de Nemours et la force irrésistible de sa propre passion. Un moment vient où elle ne trouve plus de salut que dans une décision héroïque : tout raconter à son mari. M. de Clèves admire sa conduite, mais ne peut s'empêcher lui-même de sombrer dans une jalousie violente. Il veut savoir le nom de l'heureux élu et si sa femme lui est restée fidèle, comme elle l'affirme. Il comprend bientôt que son rival est Nemours, se persuade, sans en avoir la preuve, que Mme de Clèves ne lui a pas dit toute la vérité, et, de désespoir, en meurt.

Le duc de Nemours ne voit pas maintenant quel obstacle pourrait s'opposer à son union avec Mme de Clèves. La princesse, elle, en voit deux, qu'elle évoque au cours d'une dernière conversation avec lui : le remords qu'elle éprouve à l'égard de son mari ; la peur, surtout, que Nemours, une fois sa passion satisfaite, ne se lasse et ne l'abandonne pour une autre. L'intérêt de son « repos » se conjugue avec celui de son « devoir ». Elle décide donc de quitter la Cour, tombe gravement malade, et finalement se retire dans une maison religieuse où sa « courte vie » laissera « des exemples de vertu inimitables ».

Quant à Nemours, qui a pensé « expirer de douleur » en apprenant cette retraite définitive, on nous dit simplement que « des années entières s'étant passées, le temps et l'absence ralentirent sa douleur et éteignirent sa passion ». Ce qui laisse supposer qu'il a dû se consoler.

J'ajouterai — on ne le remarque pas toujours — que, de la
première apparition de Mlle de Chartres (novembre 1558) à
son entrevue finale avec Nemours (novembre 1559), il
s'écoule exactement une année. C'est la durée que Georges de
Scudéry, quand il prétendait fixer les règles du roman dans sa
préface d'*Ibrahim* (1641), conseillait à un auteur soucieux de
« s'enfermer dans des bornes raisonnables ».

Les personnages

Au début de son roman, Mme de Lafayette passe en revue
une série de personnages de la cour d'Henri II, dont un bon
nombre ne joueront aucun rôle dans la suite. Ce sont de
simples figurants, destinés à assurer la crédibilité du récit. Elle
les a trouvés dans Brantôme ou dans Mézeray[1] et les brèves
indications qu'elle nous donne à leur sujet sont véridiques. Ce
qu'elle dit des autres, ceux qui occupent le devant de la scène,
est généralement vrai aussi, parfois un peu arrangé, — à l'exception, bien sûr, des trois héros dont elle a inventé l'histoire.
Il a bien existé un duc de Nemours, né en 1531, marié en
1566 à Anne d'Este, mort en 1585. Mais Brantôme le décrit
sous les traits d'un libertin coureur de jupons plutôt que sous
ceux d'un amoureux transi. On connaît aussi, dans l'histoire,
un prince de Clèves, fils cadet de François de Clèves, duc de
Nevers. Né en 1544, il épouse une petite-fille de Diane de Poitiers et meurt à vingt ans en 1564. Rien à voir, donc, avec le
Clèves du roman. Quant à Mme et Mlle de Chartres, elles sont
toutes deux purement imaginaires.

1. Henri Chamard et Gaston Rudler ont étudié, il y a déjà
longtemps, dans deux articles de la *Revue du XVIᵉ siècle*, les sources historiques du roman. Il s'agit principalement des *Mémoires*
de Brantôme (1665-1666) et de l'*Histoire de France depuis Fara-
mond jusqu'à maintenant* de François Eudes de Mézeray (1643-
1651). Sans doute faudrait-il y ajouter des sources plus littéraires
comme le *Dom Carlos* de Saint-Réal (1672), qui raconte l'histoire
d'Élisabeth de France (voir l'édition publiée en 1995 par Roger
Guichemerre dans « Folio classique »).

Les membres de la famille royale figurent en tête des personnages historiques cités. Et d'abord le Roi : Henri II, fils de François Ier né en 1519, mourra le 10 juillet 1559, d'une blessure reçue dans un tournoi, comme il est dit dans le livre. Il est marié avec Catherine de Médicis (1519-1589) et a pour maîtresse Diane de Poitiers, la duchesse de Valentinois (1499-1566). Ce que Mme de Lafayette rapporte de leurs relations, amoureuses et politiques, est également conforme à la vérité historique.

Plusieurs princesses royales sont appelées Madame. L'une est la sœur du Roi, Marguerite de France (1523-1574), les deux autres ses filles, Élisabeth de France (1545-1568) et Claude de France (1547-1575). Toutes les trois se marieront au cours du roman : Claude avec le duc de Lorraine. Marguerite avec le duc de Savoie et Élisabeth avec le roi d'Espagne, Philippe II.

Henri II a aussi un fils. François de Valois (1544-1560), qui épouse en 1558 la fille du roi d'Écosse et de Marie de Lorraine, Marie Stuart (1542-1587), et qui succédera à son père, après le tournoi fatal, sous le nom de François II. Jeune, belle, coquette, Marie Stuart, est au centre des intrigues galantes qui occupent la Cour. Dans le roman, elle est désignée par son titre de Reine Dauphine.

Dans cette petite société où « personne n'est tranquille ni indifférent » et où l'amour se trouve toujours mêlé aux « affaires », chacun a ses intérêts propres. Mais les personnages masculins se répartissent, en gros, en deux clans. D'un côté, on trouve les Guise, qui doivent leur influence au fait qu'ils sont les oncles de la Dauphine : le duc de Guise (1519-1563), le cardinal de Lorraine (1525-1574), le duc d'Aumale (1526-1573) et le chevalier de Guise (1534-1563). Quand on parle de « Messieurs de Guise » dans le roman, c'est essentiellement du duc et du cardinal qu'il est question.

De l'autre côté sont les « princes du sang » : Antoine de Bourbon (1518-1562), qui est devenu roi de Navarre en 1555, et Louis de Bourbon, prince de Condé (1530-1569), qui sera le chef des protestants pendant les guerres de religion et mourra à

la bataille de Jarnac. Ces princes soutiennent le connétable
Anne de Montmorency (1493-1567). C'est le favori du Roi,
qui « se repose sur lui de la plus grande partie du gouvernement des affaires ». Partagent cette faveur le duc de Guise et
le maréchal de Saint-André (mort en 1562) sur lequel on a peu
de renseignements, si ce n'est qu'il n'est, lui, d'aucun parti.

La Reine, très liée avec le cardinal de Lorraine, est plutôt
du côté des Guise. La duchesse de Valentinois (par hostilité à
la Dauphine et à la Reine) favorise le Connétable.

Après la mort du Roi, quand commence la quatrième partie
du roman, on assistera à un règlement de comptes sévère entre
les deux clans. La Reine mère, Catherine de Médicis, poussée
par Lorraine, met le Connétable à l'écart et chasse la duchesse
de Valentinois. Le duc de Guise et ses frères deviennent « entièrement les maîtres ».

Parmi les autres acteurs masculins du roman pris dans l'histoire, citons encore François de Vendôme, vidame de Chartres
(1524-1562). Mme de Lafayette a emprunté aux *Mémoires de
Messire Michel de Castelnau*, publiés en 1659 par J. Le
Laboureur, le récit de ses amours avec Catherine de Médicis.
Mais elle a inventé l'épisode de la lettre perdue, qui va indi-
rectement précipiter la chute de Mme de Clèves.

M. d'Anville, deuxième fils du Connétable et marié avec la
petite-fille de la duchesse de Valentinois, a lui aussi réellement
existé (1534-1614). Très amoureux de la Dauphine, il est mêlé
dans le roman à plusieurs intrigues, dont l'histoire inventée de
Sancerre et de Mme de Tournon, que le prince de Clèves raconte à sa femme pour lui faire voir la réalité d'un monde où
les « apparences » sont toujours trompeuses.

Quant à Sancerre, on suppose qu'il s'agit d'un certain Jean
de Bueil qui aurait recueilli le comté après la mort de son ne-
veu en 1537 et serait mort lui-même en 1563. Mais ce n'est
qu'une hypothèse.

Outre l'héroïne du roman et les princesses déjà citées, deux
personnages féminins font l'objet de digressions d'une certaine

importance. L'histoire d'Anne de Boleyn (vers 1507-1536), racontée par la Dauphine à Mme de Clèves, est évidemment véridique, bien que la romancière ne se prive pas de l'enjoliver quelque peu. En revanche, Mme de Tournon est très probablement un personnage fictif.

Mme de Thémines et Mme de Martigues, qui interviennent épisodiquement, portent les noms de personnages réels : c'est tout ce qu'on peut en dire.

Ces observations d'ordre historique n'ont plus pour nous, aujourd'hui, un grand intérêt. Nous nous soucions peu de savoir si les aventures narrées par Mme de Lafayette sont ou non véridiques, si ses personnages sont réels ou inventés : il suffit qu'ils entrent dans une fiction pour devenir tous pareillement fictifs. Mais, comme on va le voir, les contemporains en jugeaient autrement.

II. L'ACCUEIL DES CONTEMPORAINS

La querelle de l'aveu

Précédé d'un jésuitique avis du libraire au lecteur, qui laisse à l'auteur supposé la possibilité de se « montrer » si le livre plaît, *La Princesse de Clèves* sort des presses de Barbin le 8 mars 1678, et le succès est immédiat. Il faut dire que le lancement a été bien préparé. Maurice Laugaa parle à ce sujet d'une véritable « campagne publicitaire [1] ». Le mot est un peu excessif. Les moyens de diffusion de l'époque ne dépassaient pas le bouche à oreille. Mais il est certain que Mme de Lafayette et son ami La Rochefoucauld ont su exciter la curiosité du public choisi pour lequel ils avaient écrit. Lectures à

1. *Lectures de Mme de Lafayette*, collection U, Armand Colin, 1971.

des intimes, indiscrétions calculées, rumeurs répandues par l'éditeur lui-même, il n'en faut pas plus pour convaincre Paris d'abord, la province ensuite, de se jeter sur un roman qui, à l'avance, est considéré comme un chef-d'œuvre.

À peine paru, pourtant, *La Princesse de Clèves* déclenche une vive querelle, qui fait dire à Mme de Lafayette, dans une lettre à Lescheraine, secrétaire de la duchesse de Savoie : « On est partagé sur ce livre-là à se manger. » En témoigne la réaction de Bussy-Rabutin. Impatient de lire le livre, que sa cousine, Mme de Sévigné, lui a annoncé comme une « chose charmante », il trouve toute la première moitié du roman « agréable » et « naturelle », mais bute ensuite sur la scène de l'aveu. « L'aveu de Mme de Clèves à son mari est extravagant, écrit-il, et ne peut se dire que dans une histoire véritable ; mais quand on en fait une à plaisir, il est ridicule de donner à son héroïne un sentiment si extraordinaire. L'auteur, en le faisant, a plus songé à ne pas ressembler aux autres romans qu'à suivre le bon sens. » La fin de l'histoire ne choque pas moins Bussy : « Il n'est pas vraisemblable qu'une passion d'amour soit longtemps, dans un cœur, de même force que la vertu. Depuis qu'à la Cour, en quinze jours, trois semaines ou un mois, une femme attaquée n'a pas pris le parti de la rigueur, elle ne songe plus qu'à disputer le terrain pour se faire valoir. Et si, contre toute apparence ou contre l'usage, ce combat de l'amour et de la vertu durait dans son cœur jusqu'à la mort de son mari, alors elle serait ravie de les pouvoir accorder ensemble en épousant un homme de sa qualité, le mieux fait, et le plus joli cavalier de son temps[1]. »

En avril 1678, deux semaines, donc, après la parution du roman, le *Mercure galant*, dans sa rubrique consacrée aux « questions galantes », invite ses lecteurs et lectrices, à se prononcer à leur tour sur l'aveu de Mme de Clèves, qualifié par le rédacteur de « trait singulier », qui « partage les esprits[2] ».

1. Lettre du 26 juin 1678.
2. Sur cette enquête, voir M. Laugaa, *op. cit.*

Les réponses — une quinzaine — sont publiées dans les numéros de juillet à octobre. Elles confirment pour la plupart les critiques de Bussy. Les correspondants du *Mercure* ne se demandent pas si la scène est dans la logique du récit : cela n'intéresse personne, et d'ailleurs ce n'est pas la question posée. Ils se demandent si l'aveu de Mme de Clèves est vraisemblable et surtout s'il s'accorde avec les usages. Après avoir discuté gravement cette question, les lecteurs répondent par la négative. L'un d'eux raconte comment le débat a jeté le trouble dans les esprits de deux futurs mariés qui s'opposaient, chacun avec de solides arguments, sur la réponse : « ils craignirent de ne pas être si unis par le mariage que la défiance ne régnât d'un côté et la coquetterie de l'autre ». Dans le même esprit, un autre soutient qu'une femme « ne doit jamais se hasarder à donner des alarmes à son mari ». L'opinion générale est que cette confidence est pernicieuse, car elle trouble la paix des ménages. À l'appui de leur thèse, les adversaires de l'aveu n'invoquent pas seulement l'intérêt d'un « repos » curieusement compris. Une lectrice, qui signe « l'Insensible de Beauvais » et qui déclare traduire l'opinion unanime de ses amis, pense qu'une femme doit « éternellement combattre et mourir même dans les combats » plutôt que de désoler un époux. Héroïque pour certains, le silence apparaît à d'autres comme la suprême galanterie. Le procédé de Mme de Clèves leur semble « du dernier bourgeois ». Il eût été plus galant de sa part « de soutenir adroitement et avec mystère une belle passion qui ne souffre jamais d'autre déclaration que celle qu'une tendresse respectueuse peut faire ».

J'ai dit que la logique du récit n'intéressait pas les contemporains. Il y a pourtant une exception. Le *Mercure*, toujours lui, publie une longue lettre envoyée par un « géomètre de Guyenne » après sa quatrième lecture du roman. Ce correspondant mystérieux, qui n'est autre que Fontenelle, ne tarit pas d'éloges sur la façon dont Mme de Lafayette conduit son histoire, et en particulier sur l'aveu où il voit « un trait admirable et très bien préparé ». « Un géomètre comme moi, précise-t-il, l'esprit tout rempli de mesures et de proportions, ne quitte point son Euclide pour lire quatre fois une nouvelle galante, à moins qu'elle n'ait des charmes assez forts pour se faire sentir à des mathématiciens [1]. » Pour retrouver des lecteurs sensibles à ces charmes tout intellectuels, il faudra attendre plus d'un siècle. Les contemporains, et même les amis les plus proches de Mme de Lafayette comme Mme de Sévigné, habitués aux anciens romans, ne pensent qu'à la bienséance ; ils sont prêts à admettre les pires extravagances à condition qu'elles la respectent.

Valincour et Charnes : l'« histoire galante »

La même année 1678 paraissent les *Lettres à Madame la Marquise*** sur le sujet de « La Princesse de Clèves »*. Attribué généralement au P. Bouhours, le livre a en réalité pour auteur un jeune critique, le chevalier de Valincour, qui deviendra plus tard académicien et historiographe du Roi. Il se compose de trois lettres successives consacrées à la « conduite », aux « sentiments » et au style du roman.

On peut se dispenser d'écouter Valincour quand il joue les grammairiens. Les deux premières lettres, en revanche, sont intéressantes à un double titre. Elles montrent, d'abord, la vivacité du débat suscité par le livre. Le point de vue du critique, plus savant, plus nuancé, n'est pas fondamentalement différent de celui des lecteurs qui ont répondu à l'enquête du *Mercure*. On discute dans ces lettres exactement comme on devait discuter à l'époque de questions galantes dans les salons : telle « aventure » du roman — celle de la rencontre chez le joaillier, celle du pavillon, celle de la lettre ou celle du portrait — est-elle crédible ? Ne « coûte-t-elle point trop cher [2] » ? Valincour se livre à une analyse du roman qui ne manque pas de finesse.

1. *Mercure galant*, mai 1678.
2. G. Genette a remarquablement commenté cette conception « économique » du récit, dans son article « Vraisemblance et motivation », *Figure II*, Éd. du Seuil, 1969.

Il trouve trop longue la description de la Cour au début, critique les digressions et des facilités qui « sentent trop l'histoire à dix volumes ». Et s'il n'est pas hostile au principe de l'aveu, la scène étant traitée avec beaucoup de délicatesse, il glisse toutefois qu'elle pourrait avoir été empruntée à un roman de Mme de Villedieu, *Les Désordres de l'amour*, publié trois ans plus tôt.

Mais ce qu'on retiendra surtout, pour peu qu'on s'intéresse à l'évolution des idées sur le roman, c'est, à la fin de la première lettre, le passage où, invoquant l'autorité d'un « homme d'une grande érudition », Valincour examine les rapports entre l'histoire et la fiction. À l'époque du roman héroïque, où tout se passait dans un univers de pure fantaisie, c'est un problème dont le public ne se souciait guère. Mais à partir du moment où les romanciers, renonçant aux grandes machines, se piquent d'être exacts et situent l'aventure de leurs héros dans un cadre historique précis et supposé connu de leurs lecteurs — en l'occurrence le règne d'Henri II —, ils ne sont plus « maîtres de leurs inventions ». Ils doivent, dit Valincour, respecter les vérités établies ; ils ne peuvent ajouter ou retrancher à leur sujet que « dans les circonstances ». Autrement dit, leur tâche consiste à écrire l'« histoire secrète » d'une époque dont les historiens en titre ont déjà raconté l'histoire officielle et publique. Ce n'est malheureusement pas ce qu'a fait l'auteur de *La Princesse de Clèves* puisqu'il (ou elle) n'hésite pas à attribuer à des personnages historiques des passions ou des actions imaginaires.

La réplique ne tarde guère. Quelques mois après les *Lettres* de Valincour, l'éditeur Barbin publie des *Conversations sur la critique de « La Princesse de Clèves »*. L'auteur anonyme en est un certain abbé de Charnes, auquel Mme de Lafayette, blessée par les critiques dont elle était l'objet, a visiblement prêté la main. Charnes a réponse à tout. Il justifie méthodiquement, avec bon sens souvent, avec aigreur parfois, les épisodes malmenés par son prédécesseur — les digressions, notamment —, affirme que l'auteur de *La Princesse de Clèves* avait « fait son histoire longtemps avant l'impression » du livre de

Mme de Villedieu, et propose à son tour, sur le sujet épineux des rapports entre la fiction et l'histoire, sa propre théorie. L'idée directrice reste celle de l'« histoire secrète » ; mais la défense de Charnes consiste à inverser les rôles. L'« histoire galante », telle qu'il la conçoit et dont l'œuvre de Mme de Lafayette représente le modèle, n'est ni une « pure fiction », ni un récit qui « prend son sujet dans l'histoire ». « C'est une troisième espèce, dans laquelle on invente un sujet, ou l'on en prend un qui ne soit pas universellement connu ; et on l'orne de plusieurs traits d'histoire qui en appuient la vraisemblance et réveillent la curiosité et l'attention du lecteur. » Ainsi, le roman n'est plus chargé simplement de combler les trous d'une histoire publique qui resterait la référence dominante, et le romancier dispose, en fait, d'une très large liberté. Pour peu qu'il évite des invraisemblances trop criantes, il n'a pas de comptes à rendre à l'histoire des historiens, bien qu'il feigne, pour des raisons de créance, de s'en inspirer.

La distinction peut paraître subtile. Elle l'est, en effet, Mme de Lafayette ne semble d'ailleurs pas trop y croire elle-même, quand elle soutient, dans sa lettre déjà citée à Lescheraine, que *La Princesse de Clèves* n'est pas un roman : « C'est proprement des mémoires ; et c'était, à ce que l'on m'a dit, le titre du livre, mais on l'a changé. » Alors, roman ou histoire ? Le débat soulevé par Valincour n'est nullement réglé : il va se prolonger pendant une bonne partie du XVIIIe siècle et déboucher sur d'autres solutions narratives : les « faux mémoires », le roman sous forme de « papiers trouvés », le roman par lettres, — autant de procédés visant à conférer à la fiction l'air de vérité dont les lecteurs ont besoin pour lui accorder foi. Mais cela ne regarde plus Mme de Lafayette.

LA PRINCESSE DE CLÈVES
AU CINÉMA ET AU THÉÂTRE

LE CINÉMA

Robert Bresson voulait tourner *La Princesse de Clèves*. Malheureusement, le producteur, effrayé par son projet, a préféré faire *Chéri-Bibi*. On ne peut que le regretter et souhaiter que le scénario, s'il a été conservé, soit un jour publié.

Le film réalisé par Jean Delannoy, avec la participation de Marina Vlady et de Jean Marais (dans le rôle de Clèves) et la complicité de Cocteau, en 1961, est à peu près fidèle à la lettre du roman (à l'exception de la scène finale où Nemours se recueille devant le cadavre de Mme de Clèves dans une chapelle gothique), mais profondément infidèle à son esprit. Plutôt que de chercher des équivalents visuels aux progrès de l'« analyse », les auteurs ont préféré offrir au public une sorte de super-production psychologique sur le modèle des *Visiteurs du soir* ou de *L'Éternel Retour*.

À sa façon austère, *La Lettre*, de Manuel de Oliveira (1999), respecte davantage la rigueur du récit. Mais le réalisateur a transposé l'histoire dans le monde d'aujourd'hui en faisant de Nemours un chanteur de rock... Il s'inspire du livre plus qu'il ne l'adapte.

Tout récemment, sous le titre *La Fidélité*, Andrzej Zulawski a donné sa version personnelle du roman, situé cette fois dans le milieu de la presse à scandale. Le tableau, convulsif et outré, bien dans la manière du cinéaste, n'est pas vraiment racheté par quelques scènes d'amour mélancoliques où brille le talent de Sophie Marceau.

LE THÉÂTRE

Une première adaptation théâtrale de *La Princesse de Clèves* a été écrite à la fin du XIXᵉ siècle par Jules Lemaitre. Elle est introuvable.

De nos jours, Jean Bastaire a publié, en 1980, chez José Corti, sous le titre *Mme de Clèves*, une « tragédie en cinq actes » tirée du roman. Il l'a dédiée à Robert Bresson. De son propre aveu, les personnages, en cours de route, « ont dérivé assez loin de ceux de Mme de Lafayette. Avant de mourir, Clèves invite sa femme à « accepter le bonheur », et c'est essentiellement pour imiter sa grandeur d'âme, et non pas dans « l'intérêt de son repos » que la princesse refuse d'épouser Nemours. Ce qui change totalement la fin. Pourquoi pas ? dira-t-on. Encore faudrait-il que le langage théâtral suive, ce qui n'est pas le cas dans cette pièce très conventionnelle.

Signalons enfin le *one man show* de Marcel Bozonnet qui, dans les années 1996-1997, a promené sur les scènes françaises un étonnant spectacle où, seul en scène, dans un décor d'époque, il récitait le roman et jouait tous les personnages. C'était peut-être, finalement, la meilleure façon de faire passer le message janséniste de Mme de Lafayette.

BIBLIOGRAPHIE

ŒUVRES DE MADAME DE LAFAYETTE

Œuvres complètes, édition établie et présentée par Roger Duchêne, F. BOURIN, 1990.

Romans et nouvelles, texte établi par Émile MAGNE (1939) avec une préface d'Alain Niderst, Garnier, 1970.

La Princesse de Clèves et autres romans, préface et notices de Bernard PINGAUD, « Folio classique », Gallimard, 1967.

L'édition de Roger Duchêne, la seule intégrale, comprend la *Correspondance* qui avait été publiée une première fois par André Beaunier en 1942.

L'*Histoire d'Henriette d'Angleterre* et les *Mémoires de la cour de France* ont été réédités par les soins de Gilbert Sigaux, Mercure de France, 1965.

Pour *Henriette d'Angleterre*, voir aussi l'édition savante de Marie-Thérèse Hipp, « Textes littéraires français », Droz, Genève, 1967.

La « Bibliothèque de la Pléiade » a publié :

— *La Princesse de Clèves* dans les *Romans du XVIIe siècle* édités par Antoine Adam en 1958.

— *La Princesse de Montpensier* et *La Comtesse de Tende* édités par MICHELINE CUÉNIN dans les *Nouvelles du XVIIe siècle* présentées par JEAN LAFOND en 1997.

La Princesse de Clèves a fait l'objet de nombreuses éditions en format de poche. La plus sérieuse est celle de Jean Mesnard, qui a repris chez GF-Flammarion en 1996 celle qu'il avait préparée en 1980 pour l'Imprimerie nationale (bonne préface, bibliographie très complète).

ÉTUDES

Ouvrages généraux

En dehors des livres déjà anciens d'André BEAUNIER et d'Émile MAGNE, et de la thèse de Harry ASHTON, *Madame de Lafayette, sa vie et ses œuvres*, Cambridge University Press, 1922, qui a été longtemps l'ouvrage de base, on pourra lire :

Bernard PINGAUD, *Madame de Lafayette par elle-même*, Le Seuil, 1959, nouv. éd. 1997.

Roger DUCHÊNE, *Madame de Lafayette*, Fayard, 1988 (la biographie la plus récente et la plus complète).

Études particulières

Sur le roman au XVIIe *siècle :*

Pierre-Daniel HUET, *Traité de l'origine des romans* (1670), Genève, Slatkine Reprints, 1970.

Antoine ADAM, *Histoire de la littérature française au* XVIIe *siècle*, Domat, 1949-1956, 5 vol.

Maurice LEVER, *Le Roman français au* XVIIe *siècle*, P.U.F., 1981.

Henri COULET, *Le Roman jusqu'à la Révolution*, collection U, Armand Colin, 1967.

Sur les romans de Madame de Lafayette :

Roger FRANCILLON, *L'Œuvre romanesque de Madame de Lafayette*, Corti, 1973.

Janine ANSEAUME KREITER, *Le Problème du paraître dans l'œuvre de Madame de Lafayette*, Nizet, 1977.

Sur La Princesse de Clèves *:*

VALINCOUR, *Lettres à Madame la Marquise*** sur le sujet de « La Princesse de Clèves »*, 1678, introduction et notes d'Albert CAZES, Bossard, 1926, réimprimé en fac-similé, université de Tours, 1972.

CHARNES (Abbé de), *Conversations sur la critique de « La Princesse de Clèves »*, Barbin, 1679, réimprimé en fac-similé, université de Tours, 1973.

Henri CHAMARD et Gaston RUDLER, « Les sources historiques de *La Princesse de Clèves* ». *Revue du XVIᵉ siècle*, 1914, p. 92-131, 289-321.

Albert CAMUS, « L'Intelligence et l'Échafaud », dans *Problèmes du roman*, *Confluences*, Lyon, 1943. Repris dans l'édition de la Pléiade, *Théâtre, récits nouvelles*, p. 1895-1902.

Jean FABRE, *L'Art de l'analyse dans « La Princesse de Clèves »*, Travaux de la faculté des lettres de Strasbourg, Les Belles Lettres, 1946.

Georges POULET, *Études sur le temps humain*, Plon, 1950.

Serge DOUBROVSKY, « *La Princesse de Clèves* : une interprétation existentielle ». *La Table ronde*, juin 1959.

Claude VIGÉE, « *La Princesse de Clèves* et la tradition du refus », *Critique*, août-septembre 1960.

Michel BUTOR, *Répertoire I*, Minuit, 1960.

Jean ROUSSET, *Forme et signification*, Corti, 1962.

Marie-Thérèse HIPP, « Le mythe de Tristan et Iseut et *La Princesse de Clèves* », *Revue d'histoire littéraire de la France*, 1965.

Jean de BAZIN, *Index du vocabulaire de « La Princesse de Clèves »*, Nizet, 1967.

Albert BÉGUIN, préface à *La Princesse de Clèves* et *La Princesse de Montpensier*, Lausanne, Éd. Rencontre, 1967.

Bernard LAUDY, « La vision tragique de Mme de Lafayette ou un jansénisme athée », *Revue de l'Institut de sociologie*, t. III, 1969.

Gérard GENETTE, « Vraisemblance et motivation », *Figures II*, Éd. du Seuil, 1969.

Sylvère LOTRINGER, « La structuration romanesque », *Critique*, juin 1970.

Maurice LAUGAA, *Lectures de Mme de Lafayette* (consacré pour l'essentiel à *La Princesse de Clèves*), collection U, Armand Colin, 1971.

Jean CORDELIER, « Le refus de la Princesse », *XVIIᵉ Siècle*, n° 108, 1975.

Alain NIDERST, *La Princesse de Clèves*, Nizet, 1977.

Françoise GEVREY, *L'Illusion et ses procédés. De « La Princesse de Clèves » aux « Illustres Françaises »*, Corti, 1988.

Pierre MALANDAIN, *La Princesse de Clèves*, Études littéraires, P.U.F., 1985.

Jean-Pierre DELACOMPTÉE, *« La Princesse de Clèves », la mère et le courtisan*, coll. « Le texte rêve », P.U.F., 1990.

ROMANS ET NOUVELLES DU XVIIᵉ SIÈCLE
FRANÇAIS DANS FOLIO CLASSIQUE

Madame d'AULNOY : *Contes de fées*. Édition présentée et établie par Constance Cagnat-Deboeuf.

BÉROALDE de VERVILLE : *Le Moyen de parvenir*. Préface de Michel Jeanneret. Édition de Michel Renaud.

Roger BUSSY-RABUTIN : *Histoire amoureuse des Gaules*. Édition présentée et établie par Jacqueline et Roger Duchêne.

Collectif : *Dom Carlos* de SAINT RÉAL et autres nouvelles françaises du XVIIᵉ siècle : *La Sœur jalouse* de Charles SOREL, *Le Cœur mangé, La Mère Médée, La Jalousie précipitée* de Jean-Pierre CAMUS, *Aronde* de SEGRAIS, *Le Prince de Condé* de BOURSAULT, *Histoire de Givry* de Madame de VILLEDIEU. Édition présentée et établie par Roger Guichemerre.

Savinien CYRANO de BERGERAC, *L'Autre Monde* : *Les États et Empires de la Lune – Les États et Empires du Soleil*. Édition présentée et établie par Jacques Prévot.

FÉNELON : *Les Aventures de Télémaque*. Édition présentée et établie par Jacques Le Brun.

Antoine FURETIÈRE : *Le Roman bourgeois*. Édition présentée et établie par Jacques Prévot.

GUILLERAGUES : *Lettres portugaises*, suivi de *Guilleragues par lui-même*. Édition présentée et établie par Frédéric Deloffre.

Madame de LAFAYETTE : *La Princesse de Clèves* et autres romans : *Le Triomphe de l'indifférence* (extraits), *La Princesse de Montpensier, Zaïde* (extraits), *Henriette d'Angleterre* (extraits), *La Comtesse de Tende, Histoire espagnole*. Édition présentée et établie par Bernard Pingaud.

Jean de la FONTAINE : *Contes et nouvelles en vers*. Édition présentée et établie par Alain-Marie Bassy.

Charles PERRAULT : *Contes* suivi de *Le Miroir ou la Métamorphose d'Orante. La Peinture* et *Le Labyrinthe de Versailles*. Édition présentée et établie par Jean-Pierre Collinet.

Charles PERRAULT : *Contes*. Édition présentée par Nathalie Froloff. Texte établi par Jean-Pierre Collinet.

SCARRON. *Le Roman comique*. Édition présentée et établie par Jean Serroy.

Madeleine de SCUDÉRY, *Clélie*. Textes choisis, présentés, établis et annotés par Deplhine Denis.

Charles SOREL : *Histoire comique de Francion*. Édition présentée et établie par Fausta Garavini, établie par Anne Schoysman et annotée par Anna Lia Franchetti.

Tristan L'HERMITE : *Le Page disgracié*. Édition présentée et établie par Jacques Prévot.

Honoré D'URFÉ : *L'Astrée*. Choix et présentation de Jean Lafond.

COLLECTION FOLIO

Dernières parutions